Para Lily Toufar Lash – com enorme gratidão.
E para os meus filhos, Gabi e Jake – que vocês
sempre conheçam apenas a liberdade.

1ª edição, 2017
1ª reimpressão, 2021

TEXTO ADEQUADO ÀS NOVAS REGRAS DO ACORDO ORTOGRÁFICO DA LÍNGUA PORTUGUESA

Coordenação editorial: Miriam Gabbai
Editora assistente: Áine Menassi
Tradução: Bárbara Menezes
Revisão: Ricardo N. Barreiros
Projeto gráfico, diagramação e capa: Thiago Nieri

CIP-BRASIL. CATALOGAÇÃO-NA-FONTE
SINDICATO NACIONAL DOS EDITORES DE LIVROS, RJ

K13f

Kacer, Kathy, 1954-

Fuga para Xangai / Kathy Kacer ; tradução Bárbara Menezes - 1. ed. - São Paulo : Callis Ed., 2017.
200 p. ; 23 cm.

Tradução de: *Shanghai escape*
ISBN 978-85-454-0024-0

1. Crianças judias no holocausto - China - Xangai - Ficção infantojuvenil. 2. Holocausto judeu (1939-1945) - China - Xangai - Ficção infantojuvenil. 3. Literatura infantojuvenil canadense. I. Menezes, Bárbara. II. Título.

16-33343

CDD: 028.5
CDU: 087.5

25/05/2016 27/05/2016

ISBN 978-85-454-0024-0

ESTE LIVRO CONTOU COM O APOIO DO CONSELHO CANADENSE PARA AS ARTES

Impresso no Brasil

2021
Callis Editora Ltda.
Rua Oscar Freire, 379, 6º andar • 01426-001 • São Paulo • SP
Tel.: 11 3068-5600 • Fax: 11 3088-3133
www.callis.com.br • vendas@callis.com.br

Kathy
Kacer

Fuga para Xangai

Tradução:
Bárbara
Menezes

callis

Introdução

Xangai, China. Que destino incomum para judeus europeus, tentando escapar das cruéis leis antissemitas que Adolf Hitler e seu Partido Nazista colocaram em prática antes da Segunda Guerra Mundial. À medida que, nos anos de 1930, mais e mais judeus buscavam refúgio seguro, líderes mundiais se reuniram na França para discutir a questão do que fazer com eles. As reuniões ficaram conhecidas como Conferência de Evian. Embora todos se condoessem com as famílias judaicas que estavam tentando escapar da perseguição na Europa, a maioria dos países do mundo, inclusive Austrália, Canadá e Estados Unidos, não estava disposta a oferecer abrigo seguro. Xangai foi um lugar que permitiu a entrada dos judeus.

Mais de 20 mil refugiados judeus, a maioria da Áustria e da Alemanha, foram para Xangai entre 1937 e 1939. Nos primeiros dias depois da chegada, eles estabeleceram vidas que não eram tão diferentes das que tinham deixado para trás na Europa. Abriram lojas e restaurantes; criaram teatros e publicaram jornais; seus filhos frequentavam escolas. Viviam lado a lado com os vizinhos chineses em relativa liberdade. Tudo isso mudou depois de 1941, quando os japoneses atacaram a Marinha dos Estados Unidos em Pearl Harbor, no Havaí, e Japão e Estados Unidos entraram na Segunda Guerra Mundial.

Japão e China estavam em guerra havia muitos anos. Em 1937, o Exército Imperial Japonês havia ocupado Xangai e imposto duras condições para os cidadãos chineses que moravam lá. O Japão também era aliado da Alemanha nazista. Depois de Pearl Harbor, e sob a pressão de Adolf Hitler, o governo japonês em Xangai ordenou que todos os refugiados judeus que haviam chegado depois de 1937 fossem para um gueto em uma área da cidade chamada Hongkew.

Vinte mil refugiados judeus se juntaram a quase 100 mil cidadãos chineses pobres que já viviam em Hongkew. As condições eram muito duras. Havia muito pouco para comer, péssimo saneamento, doenças descontroladas e quase nenhum remédio. Os judeus precisavam de cartões de passe especiais para sair do gueto e trabalhar em outras partes de Xangai, e essas permissões, emitidas pelos japoneses, eram difíceis de obter. Em certo ponto, falou-se até que as autoridades japonesas estavam estabelecendo campos de concentração na costa de Xangai, para onde os judeus seriam mandados e, possivelmente, mortos. Os refugiados judeus de Hongkew viviam com ansiedade e incerteza quanto ao futuro.

Lily Toufar e a família chegaram a Xangai em 1938, tendo fugido de Viena, na Áustria, às vésperas da *Kristallnacht*, a "Noite dos Cristais". Naquela noite, centenas de sinagogas da Alemanha e da Áustria foram saqueadas, e milhares de judeus apanharam e foram presos. Xangai era um lugar estranho e desconhecido para Lily. Mas a situação ficou ainda mais difícil depois de sua família ser forçada a se mudar para o gueto de Hongkew em 1941. Ela, como milhares de outros refugiados judeus, suportou as difíceis condições de vida, a sujeira, as doenças e a morte, sempre com a esperança de que a guerra acabasse e sua família ainda estivesse viva.

Esta é a história de Lily.

Prefácio

8 de novembro de 1938

A bagagem deles estava pronta e esperando perto da porta. Malas e caixas estavam apoiadas umas nas outras como blocos de construção. Lily parou perto delas, observando a mãe contá-las de novo e de novo.

– Espero que tenhamos pegado tudo – mamãe disse, em uma voz tão baixa que Lily teve de se inclinar para frente para ouvi-la.

"Por que a mamãe está sussurrando se não tem mais ninguém no apartamento para ouvir?", Lily se perguntou. "E por que o rosto dela está tão sério?" As sobrancelhas de mamãe estavam tão franzidas que quase tocavam a ponta dos seus cílios. Lily apertou mais o casaco contra o corpo e tremeu. Embora ainda fosse o começo de novembro, ela sentia o inverno começando a invadir o apartamento. Dentro de um mês, a cidade de Viena seria coberta pela neve. Isso sempre tinha significado que Lily iria brincar de tobogã. Ela adorava descer em velocidade os morros cobertos de neve com o vento soprando para trás seus curtos cachos ruivos. Porém, isso fora antes... em invernos passados. Agora, ela estava começando a se perguntar se um dia voltaria a ver os morros ao redor de Viena.

– Por que não podemos levar meus outros brinquedos?

O som da sua voz ecoou no corredor vazio.

Mamãe parou e olhou para a filha. As rugas em volta de seus olhos se suavizaram e ela estendeu a mão para colocar o cabelo de Lily atrás da orelha.

– Já expliquei para você. Roupas são mais importantes do que bonecas, querida.

Lily levantou o olhar para ela. Mamãe nunca usava nem um pouco de maquiagem e não poderia se importar menos com sua aparência. Porém, mesmo naquele momento, enquanto ela se apressava para colocar nas malas coisas de último minuto, Lily se impressionava com o quão bonita ela ainda era, como se estivesse planejando um jantar para convidados e não uma fuga de casa.

Antes de a guerra começar, Lily morava em Viena com mamãe e papai.

– Mas você está levando os meus livros, não é, mamãe? Não vamos deixá-los para trás.

A mãe fez que sim com a cabeça.

– Sim, Lily. Os livros que você escolheu estão aqui nesta caixa. Viu? – ela acrescentou. – Escrevi seu nome nela com tinta preta.

– E quanto a isso?

Lily apontou para a máquina de costura com pedal de mamãe; um dos únicos móveis que estavam entre as caixas e as malas.

Mamãe parou e, depois, falou de novo:

– Não fazemos ideia do que vamos encontrar em Xangai. Temos que estar preparados com as coisas que são realmente necessárias. Se eu puder costurar, poderei ajudar seu pai a ganhar dinheiro para a nossa família. Agora, onde eu guardei as panelas?

Ela voltou a supervisionar a bagagem enquanto Lily se largava contra a parede. "Meus brinquedos não são tão necessários quando a máquina de costura da mamãe?"

Xangai! Não havia significado nada para Lily quando mamãe lhe dissera o nome da cidade na China para onde estavam fugindo; poderia muito bem ter sido a lua. A única coisa em que pensara havia sido no parque de diversões Prater de Viena perto da casa deles, onde, no meio do carrossel, ficava a estátua do Calafati, um homem chinês usando roupas coloridas. Era enorme, talvez dez vezes a altura de Lily, e girava em um círculo lento enquanto ela subia e descia em um dos cavalos de madeira. Lily se perguntava se havia homens gigantes assim em Xangai, um lugar do outro lado do mundo.

Quando Lily tentou imaginar como seria Xangai, tudo em que pôde pensar foi na estátua do Calafati, um homem chinês de madeira no centro de um carrossel no qual ela andava quando criança em Viena.

– É só um passeio, mamãe? Como para o chalé no interior?

Essa fora a pergunta que Lily fizera semanas antes, quando os planos estavam sendo cuidadosamente pensados.

Sua mãe fizera que não com a cabeça.

– Não, Lily. Desta vez, vamos embora por muito, muito mais tempo.

Mamãe continuou, explicando que eles viajariam de trem para a Itália e, depois, de barco para Xangai.

– Vamos levar semanas para chegar lá, talvez mais de um mês. Mas deveríamos ficar gratos por existir uma cidade em algum lugar do mundo que ainda permite que judeus, como nós, entrem. Deus sabe que não restaram muitos lugares como esse – ela completara.

Os barulhos de vidro quebrado e estilhaçado de algum lugar do lado de fora encheram o apartamento de Lily. Mamãe, com os olhos de repente arregalados, foi para a janela da sala de estar e espiou as ruas escuras, com cuidado para se esconder atrás das longas cortinas. Lily a seguiu, curiosa com os gritos raivosos que subiam da rua abaixo. Ela poderia jurar que ouviu um coro de pessoas gritando "abaixo os judeus!". "Como isso é possível? Eu devo ter ouvido errado."

– Lily, para trás! – a voz de mamãe estava brava quando ela puxou Lily da janela, fazendo tanta força no seu braço que Lily gritou.

Mamãe mal notou.

– Está começando – ela disse.

Ela se virou e correu pelo apartamento, desligando todas as luzes até sobrar apenas uma na parte de trás. A escuridão caiu sobre a bagagem, jogando sombras longas e sobrenaturais pela porta acima. A mamãe voltou para ficar ao lado da filha, estendendo a mão para trazê-la para perto. O braço de Lily ainda estava dolorido, mas ela não disse nada.

– Aqueles bandidos nazistas! – a mamãe praticamente cuspiu essas palavras. – Eles vão prender homens judeus por todo o país. Por isso, temos que fugir esta noite. Assim que seu pai voltar, nós vamos. Ele já devia estar aqui – ela acrescentou. – Eu só rezo para ele voltar em segurança...

A voz dela foi desaparecendo até o silêncio se juntar à escuridão no apartamento.

"Fugir da nossa casa? Prender homens judeus?", Lily entendia pouco do que aquilo significava. Ela era muito pequena quando as leis e regras restringindo a liberdade dos cidadãos judeus tinham sido introduzidas. Às vezes, ouvia trechos de conversas entre os pais ou as tias e os tios. Eles falavam que os judeus não podiam ir a cinemas ou restaurantes ou à sorveteria. Papai uma vez dissera que os judeus estavam sendo chutados nas ruas e espancados nos parques. Na maior parte, tudo aquilo parecia irreal para Lily; seus pais a haviam protegido de saber aquelas coisas horríveis para ela não ter medo. Porém, naquela noite, quando olhou para o rosto da mãe, ela pôde ver as bochechas quentes e coradas, a testa franzida e o medo que cintilava em seus olhos, mesmo no apartamento escurecido. Aquilo era real para Lily.

Sapatos se arrastaram pela escada do lado de fora do apartamento. Uma chave foi virada. Lily prendeu a respiração quando a porta foi aberta. Era o papai.

– Ah, graças aos céus! – mamãe exclamou enquanto Lily corria para os braços abertos do pai.

– Não precisa se preocupar – papai falou, tirando com delicadeza os braços de Lily de ao redor da sua cintura e inclinando-se para olhar a filha. – A bagagem está toda pronta, querida?

Lily fez que sim com a cabeça, apontando para a caixa com seu nome.

– Minhas roupas estão na mala. Aquela caixa está com os meus livros.

Ela levantou o olhar para a mãe.

– E só alguns brinquedos.

Mamãe suspirou.

– Você conseguiu as passagens, Fritz?

O pai de Lily fez que sim e colocou a mão no bolso do sobretudo, retirando com cuidado três envelopes longos.

– Tivemos sorte de o nosso amigo ter me avisado sobre a noite de hoje.

– Ainda não tenho certeza se confio completamente nele – mamãe respondeu enquanto estendia a mão para os envelopes. – Afinal, ele é membro da SS. Por que alguém da polícia de Hitler nos ajudaria?

– Ele não teve escolha a não ser se alistar, Erna. Ele estava sob pressão para entrar e teria sido perigoso para ele recusar. Eu já falei isso para você antes. Ele não acredita em toda a babaquice que os nazistas estão dizendo sobre judeus.

O pai de Lily pareceu cansado enquanto explicava com paciência aquilo para a esposa. Havia sombras escuras sob seus olhos e suas costas estavam curvadas como se fossem muito pesadas para ele ficar ereto.

– Ele foi muito corajoso em nos alertar sobre os perigos – papai acrescentou. – Ele poderia levar um tiro por nos ajudar.

"Levar um tiro por ajudar a nós, os judeus?", Lily não entendia nem um pouco aquela parte.

Mamãe segurou os envelopes apertados contra o peito.

– Você demorou tanto. Teve algum problema?

Papai fez que não com a cabeça.

– A fila para pegar as passagens se estendia por vários quarteirões. Mas as nossas estavam esperando por mim, como foi prometido.

Altas sirenes de polícia encheram o ar do lado de fora junto com o barulho de mais destruição e janelas estilhaçadas. Papai olhou para a porta e, depois, de volta para a esposa e a filha. Ele puxou um lenço do bolso e passou-o pela testa, a mão tremendo. Foi a primeira vez na vida que Lily viu o pai parecer estar com tanto medo, e aquilo a assustou.

– Há um táxi esperando por nós lá fora. Foi difícil convencer o motorista a me trazer para casa, especialmente sabendo que somos judeus.

– Ele vai esperar? – mamãe perguntou.

Papai fez que sim.

– Eu paguei bastante dinheiro a ele para me trazer aqui e prometi ainda mais quando ele nos deixar na estação de trem. Ainda assim, precisamos nos apressar antes que ele mude de ideia.

Lily puxou o braço do pai.

– E quanto à vovó e aos outros?

– Sua avó, a tia Nini e o tio Willi vão nos encontrar na estação de trem – papai respondeu. – A tia Stella e o tio Walter já estão na Itália esperando por nós. Não se preocupe, Lily – ele repetiu. – Vamos para Xangai juntos, como eu prometi.

– E quanto à nossa casa? – Lily questionou, teimosa. – Todos nós vamos voltar para cá? Juntos?

Lily observou mamãe e papai trocarem olhares acima da sua cabeça, como eles sempre faziam quando não queriam que ela soubesse alguma coisa. Papai se apoiou em um dos joelhos em frente à filha e olhou nos olhos dela.

– Essa é uma pergunta para a qual eu simplesmente não tenho resposta.

Com um suspiro profundo, ele se levantou e foi em direção à bagagem.

– Vamos levar as malas lá para baixo. Vou pedir para o taxista me ajudar com a máquina de costura da mamãe. Ele provavelmente não vai ficar feliz com isso também.

Papai murmurou essa última observação.

Mamãe enrolou um cachecol no pescoço de Lily e, depois, um no seu. Lily olhou pelo apartamento, tentando guardar cada detalhe na memória; os quadros nas paredes, o relógio que batia a cada hora e, pelo corredor, o quarto dela com o edredom estofado com penas e suas bonecas enfileiradas na prateleira, como alunas obedientes. Ela estava determinada a se lembrar de tudo na viagem de táxi até a estação de trem; memorizar tudo sobre a cidade que estava deixando para trás.

Papai colocou uma caixa sob o braço e pegou duas malas grandes, uma em cada mão. Mamãe pegou mais duas.

– Está na hora – ele disse.

Lily apertou mais o cachecol em volta do pescoço e pegou sua mala menor. Depois, seguiu os pais porta afora.

7 de dezembro de 1941

O rádio estourou com uma mensagem urgente, e Lily se inclinou mais para perto para não perder nenhuma palavra.

Sete de dezembro de 1941, um dia que vai ficar para a História.
Os japoneses acabaram de atacar Pearl Harbor.

Ela estremeceu no frio congelante do pequeno apartamento. O ar frio sempre conseguia encontrar seu caminho pela pequena porta da varanda, ou passar por cada painel de janela, não importava quantas toalhas mamãe apertasse contra eles. Mas o que Lily odiava mais do que o frio era a umidade que invadia pela janela e atravessava as malhas que ela colocava, uma por cima da outra, toda manhã. Era apenas dezembro; a pior parte do inverno em Xangai ainda estava por vir. Naquele dia, era a notícia agourenta vinda do rádio que se somava aos tremores que subiam e desciam pela espinha de Lily.

Um pequeno besouro marrom começou sua lenta caminhada pelo chão do apartamento. Ele tinha um longo caminho a seguir se queria chegar ao outro lado do aposento sem ser pisado pelos membros da família de Lily, que haviam se juntado para ouvir a transmissão do rádio.

– Isso é terrível – papai disse, fazendo que não com a cabeça. – Os Estados Unidos não vão ter escolha a não ser entrar na guerra.

Ele colocou a mão no bolso e tirou um lenço, esfregando-o pela testa. Suas mãos estavam tremendo, e Lily lembrou-se de outro momento, três anos antes, quando o pai tinha parecido tão nervoso assim. Aquela notícia não era boa.

– Mas o que isso vai significar? – mamãe perguntou. – Os Estados Unidos são um país tão poderoso. Com certeza o presidente Roosevelt não vai ter problema para fazer os japoneses recuarem.

Mamãe falou ao entrar na sala, vindo da pequena cozinha americana, carregando uma bandeja cheia de xícaras de chá. Ela tirou uma mecha solta de cabelo da testa e começou a passar o chá para os irmãos e cunhados.

Tia Stella bufou do seu lugar à pequena mesa no meio da sala.

– Poderoso? Quão poderosos os americanos podem ser se não previram esse ataque?

Tia Stella costumava ser a pessoa calma e imperturbável da família. Lily sempre ouvia e respeitava as suas opiniões quando ela falava, mas sentia uma distância em relação à tia que não conseguia explicar. O marido de Stella, tio Walter, fez que sim com a cabeça, melancólico. Ele geralmente ficava quieto nessas reuniões de família; um homem nervoso, que costumava contar quando ficava tenso. Lily podia ouvi-lo fazendo aquilo naquele momento, em voz baixa.

– Uma coisa é a guerra ser na Europa, onde aquele maníaco, Hitler, está tentando controlar tudo. Mas a América é do outro lado do mundo. Como a guerra pode estar se espalhando tão longe?

Esse comentário veio da outra tia de Lily. Das duas tias, Lily tinha que admitir que a tia Nini era sua favorita e era mais como uma segunda mãe. Tia Nini era quem comprava brinquedos especiais para Lily e a levava para tomar chá à tarde. Quando tia Nini havia se casado, um ano antes, Lily ficara muito preocupada com a possibilidade de elas duas perderem seu relacionamento especial. Mas não foi o caso. Lily olhou para o marido de Nini, Poldi. Geralmente, ele adorava puxar Lily de lado e entretê-la com histórias da *Bíblia*. No entanto, naquele dia, Poldi não estava dizendo nada. Ele estava sentado à mesa, a cabeça baixa, os dedos apertados nas têmporas.

Mamãe continuou servindo o chá enquanto falava:

– Eu não me preocuparia tanto com isso se não fosse pelo fato de os japoneses estarem bem aqui em Xangai... Bem debaixo dos nossos narizes!

Essa parte era verdade. O exército japonês estivera patrulhando as ruas de Xangai havia anos, desde que tinha conquistado partes da China em uma batalha que ainda estava acontecendo.

Lily veio de uma família carinhosa e amorosa que incluía (da esquerda para a direita) sua tia Stella, sua avó, seu tio Walter e sua mãe e seu pai. O tio Willi (ao lado) adorava provocá-la.

– É o que Hitler sempre quis – papai continuou. – Ele é amigo daquele imperador japonês louco, Hirohito. Hitler acha que pode conquistar toda a Europa e a América do Norte. É uma guerra mundial que ele quer. E pode ter conseguido.

Esse último comentário fez a conversa parar de repente. Era naquele pequenino apartamento de um aposento que tantos eventos familiares aconteciam e, embora Lily ainda não tivesse oito anos de idade, ela sempre estava no centro dessas atividades. Com frequência, era o chá da noite que reunia os parentes para conversarem sobre as notícias do dia. Às vezes, era para comemorações; o aniversário de Lily ou um dos feriados judeus. Nesses momentos, os membros da família competiam entre si, falando mais alto e por cima dos outros para terem a última palavra, rindo e compartilhando histórias sobre algo que acontecera no clube noturno de Nini e Poldi, ou na cafeteria de Stella e Walter. A única pessoa que faltava naquele dia era a avó de Lily. Vovó morrera no ano anterior, deixando um vazio no coração de Lily que era difícil de preencher.

Como se lesse a mente de Lily, mamãe falou de novo:

– Talvez seja bom a vovó não estar aqui. Essa notícia a teria destruído.

O clima em volta da mesa estava solene quando a voz estalou no rádio mais uma vez.

> *Um ataque assim em solo americano com certeza trará um contra-ataque... O presidente Roosevelt naturalmente pedirá ao Congresso uma declaração de guerra. Não há dúvida de que essa declaração será concedida.*

Papai levantou-se de repente e começou a caminhar de um lado ao outro do aposento.

– É isso então – ele disse. – A guerra se espalhou pelo mundo.

O pequeno besouro marrom já tinha percorrido metade do piso. Papai, sem perceber a presença dele, quase o esmagara enquanto caminhava de uma ponta do pequeno apartamento para a outra. Lily se viu torcendo pelo besouro. Ela costumava odiar insetos, e o apartamento com certeza tinha muitos deles. Mas aquele era tão pequeno e estava tão sozinho. “Ele não está machucando ninguém", Lily pensou. "Por que nós deveríamos machucá-lo?" E, com isso, sua mente deu um salto para o passado, para quando a família chegara a Xangai.

Todos sabiam sobre a guerra na Europa e o cruel Adolf Hitler, que tornara a vida tão insuportável para o povo judeu. Por isso, Lily e seus parentes haviam deixado suas casas em Viena, na Áustria, três anos antes. Eles estavam fugindo antes de serem presos e mandados para algum lugar horrível onde judeus eram espancados e torturados. E por quê? Só por serem judeus. Aquilo parecia ridículo para Lily. Na verdade, toda aquela pequena escapada de Viena tinha feito pouco sentido para ela três anos antes. Mas, naquele momento, ela via que fora uma decisão sábia.

– Se você não prestar atenção, os fantasmas vão pegar você.

Lily girou e ficou de frente para o seu tio mais novo, Willi. Os outros ainda estavam muito entretidos na conversa em volta da mesa. O rádio fora desligado e levado para um canto do aposento, como se eles pudessem de alguma forma empurrar as notícias ruins para longe se não as ouvissem.

– Pare, Willi – Lily disse, plantando os pés com firmeza no chão, as mãos nos quadris.

Com 16 anos, Willi era mais como um irmão para Lily do que um tio. E nada parecia lhe dar mais prazer do que assustá-la com histórias de fantasmas. Houve até um tempo, quando eles ainda estavam na Áustria, em que Willi a mantivera como "refém" em frente a uma árvore no chalé, convencendo-a de que os pássaros iriam atacá-la. Mesmo agora, o coração de Lily batia um pouco mais rápido quando ela lembrava como se sentira presa até papai ter vindo em seu socorro.

Dessa vez, papai ainda estava falando com o resto da família, e Willi não iria parar.

– Talvez os fantasmas a peguem de noite, quando você estiver dormindo – ele continuou, balançando os dedos em frente ao rosto de Lily. – Ou virão quando você estiver de costas.

– Não existem fantasmas!

Lily levantou o olhar para o tio, recusando-se a deixá-lo ver que as histórias que contava realmente a assustavam. Ainda assim, ela o amava e estava feliz por ele estar lá. Não podia deixar de lembrar que Willi quase não conseguira sair de Viena quando a família fugiu.

Na noite em que eles estavam deixando a cidade, Willi fora preso pela SS. A vovó se recusou a ir sem ele e, assim, ela e a tia Nini ficaram para trás, prometendo que se juntariam ao resto da família quando tivessem conseguido tirar Willi da prisão, embora, naquele momento, não fizessem ideia de como conseguir isso. Lily e os outros membros da família não souberam os detalhes da soltura de Willi até muito mais tarde. No desespero, Nini havia pedido ajuda a um amigo cristão que era advogado, um homem que era simpático aos judeus e à sua situação. Ele acompanhara Nini ao quartel da SS onde Willi estava sendo mantido preso.

O advogado fez Willi ser trazido até ele e gritou:

– Este jovem roubou meu relógio! Eu cuido dele agora. Ele vem comigo!

Com isso, ele pegou Willi pelo braço e o escoltou para fora do prédio. Os oficiais da SS ficaram surpresos demais para fazerem alguma coisa. Eles apenas observaram Willi partir. Pouco depois, Willi, vovó e Nini deixaram Viena de trem, em direção à Itália. Eles entraram no próximo barco para Xangai, seguindo Lily, seus pais, Stella e Walter.

Apenas depois, Lily e a família descobriram que a noite em que fugiram de Viena, na verdade, ganhara um nome. As pessoas a estavam chamando de *Kristallnacht*, a "Noite dos Cristais". Sinagogas pela Alemanha e a Áustria haviam sido destruídas, as janelas quebradas e os prédios incendiados. Milhares de homens judeus, inclusive Willi, haviam sido presos naquela noite, embora a maioria não tenha tido tanta sorte quanto ele. Enquanto Lily encarava o tio, ela estava grata, pois, embora ele a perturbasse e incomodasse muito, ela ficava feliz por não tê-lo perdido na viagem para a China.

Willi inclinou-se para frente e sussurrou na orelha de Lily:

– Desta vez, os fantasmas são reais. Os nazistas podem não estar vindo nos pegar. Mas os japoneses virão!

O besouro desapareceu para dentro de um buraquinho na parede mais distante enquanto Lily comemorava em silêncio a sua marcha vitoriosa. Depois, ela afastou o chato tio Willi e disparou pela pequena porta para a varanda. Inclinou-se sobre a grade, tentando acalmar as batidas loucas do coração.

Lá embaixo, as ruas de Xangai haviam ficado estranhamente quietas. O costumeiro enxame de carros, bicicletas e riquixás indo em todas as direções desaparecera junto com as centenas de milhares de pessoas que viviam na cidade. Lily perguntou-se se todas aquelas famílias também estavam sentadas em seus apartamentos, ouvindo os rádios e tentando imaginar o que poderia acontecer. O silêncio relativo lá fora era uma mudança bem-vinda no barulho que costumava encher o ar, subindo a tantos decibéis que Lily muitas vezes cobria as orelhas com as mãos simplesmente para conseguir pensar. E pensar foi o que ela tentou fazer naquele momento, longe da família que ainda discutia dentro do apartamento e longe de Willi e seus avisos sombrios sobre fantasmas.

Ela ainda estava tentando entender quem eram os bandidos de verdade! Ela sabia bem dos nazistas na Áustria e em outros países europeus. Mas os nazistas estavam muito longe de Xangai, e Lily vivera os últimos três anos acreditando que ela e a família estavam seguras. Aquela história de o governo japonês ser o novo inimigo era algo diferente. Embora ela visse policiais japoneses nas ruas todos os dias, nunca percebera que Alemanha e Japão eram aliados. Era uma informação nova. "Como alguém podia ser amigo da Alemanha nazista?" No entanto, se a Alemanha e o Japão eram amigos, e o governo da Alemanha estava determinado a torturar judeus, isso significava que o exército japonês ali em Xangai começaria a aterrorizar famílias como a dela também? Essa era a pergunta que mais preocupava Lily.

Mais tarde naquela noite, depois de os parentes terem ido embora para os seus apartamentos, Lily enfim teve uma chance de conversar sobre tudo aquilo com o pai.

– Vai acontecer alguma coisa com a gente, papai? – ela perguntou enquanto ele acomodava uma coberta em volta do seu corpo.

Mamãe ainda estava ocupada limpando as xícaras de chá usadas mais cedo. Lily e os pais dividiam o pequeno aposento e, por isso, nunca havia qualquer tipo de privacidade. Ainda assim, mamãe fingiu não ouvir, ocupando-se com o trabalho na pia.

– Lily, minha querida, você não deve se preocupar – disse papai. – Sinto muito se a assustamos essa tarde. A notícia no rádio foi uma surpresa para nós, isso é tudo.

Lily olhou fixamente para o pai. Um homem tão atencioso, às vezes mais uma mãe do que mamãe. Em geral, algumas palavras gentis de papai seriam suficientes para afastar os medos dela. Porém, naquele momento, ela não seria silenciada.

– Willi disse que os soldados japoneses vão nos pegar agora.

Papai interrompeu.

– Eu disse para você, Lily, não há nada para se preocupar.

Lily ainda insistiu.

– Mas Willi disse que o exército japonês é tão ruim quando os nazistas. É verdade?

A boca do seu pai apertou-se formando uma linha.

– Vou ter que ter uma conversa com o seu tio Willi. Chega de todas essas histórias de fantasmas.

Ele se inclinou para perto de Lily e fixou seus olhos nos dela.

– Agora, escute. Nada vai acontecer com você, ou conosco, entendeu?

Lily fez que sim com a cabeça, sem confiar em si mesma para falar. Mamãe parou de secar a louça e estava congelada, observando a conversa.

– Ótimo! Agora, vamos ler. O que será esta noite? Um conto de fadas?

Sem esperar uma resposta, papai estendeu a mão para o livro perto da cama de Lily e abriu-o em uma das páginas. O livro era um dos preferidos de Lily, um dos que ela trouxera consigo de Viena. Estava cheio de histórias que ela adorava, como *Branca de Neve e Rosa Vermelha*, *O fiel João* e *O sapateiro e os elfos*. Naquela noite, seria a história *O lobo e os sete cabritinhos*.

– Uma mãe cabra deixou os seus sete filhos para sair e procurar comida – papai começou, enquanto Lily se acomodava de volta no travesseiro.

O tom da voz de papai aumentava e diminuía enquanto ele lia. Na história, a mãe cabra alertou os pequenos para ficarem atentos ao lobo, que ficava à espreita no bosque. Em pouco tempo, o lobo chegou disfarçado, pedindo para entrar. No começo, os cabritinhos recusaram, prestando atenção no aviso da mãe. Porém, depois de o lobo vir várias vezes, enfim o deixaram entrar. Ele comeu todos os cabritinhos, menos o mais novo, que se escondeu no armário. Quando a mãe voltou, ela sofreu por ver que seis dos seus filhos se foram. Ela e o cabritinho que restou foram procurar o lobo e o encontraram dormindo ao lado do rio. A mãe cabra cortou e abriu a barriga do lobo para recuperar os filhos, que, por sorte, ainda estavam vivos. No lugar deles, ela colocou pedras pesadas e costurou o lobo. Quando ele acordou, foi ao rio para beber água, mas o peso das pedras na sua barriga o empurrou para dentro do rio e ele se afogou.

– E, assim, a mãe cabra e seus sete cabritinhos se reuniram felizes e viveram juntos em segurança dali por diante – papai concluiu, fechando o livro com um barulho suave.

– É uma história tão triste – Lily falou, embora a tivesse escutado muitas vezes antes. – O lobo foi horrível, e aquelas pobres crianças!

– Mas o final é feliz – o pai lembrou-a, dando-lhe um beijo leve na testa. – Todas as crianças foram salvas, e aquele monstro do lobo foi morto. A família se reuniu de novo.

Lily puxou a coberta até o queixo e virou-se para a parede, guardando aquelas últimas palavras. Sua família estava unida também. E eles estavam a salvo... Pelo menos por ora.

8 de dezembro de 1941

Lily foi para a escola cedo na manhã seguinte, correndo porta afora com a melhor amiga, Susie Stern. A verdade é que Susie era muito mais do que uma amiga; era o que Lily chamava de sua "quase prima". Susie e a família também tinham escapado de Viena na mesma época que Lily. Na verdade, as famílias das duas viajaram no mesmo navio. E, mais do que isso, Susie era sobrinha do tio Walter; Walter e o pai de Susie eram irmãos. As duas meninas se conheciam desde que eram bebês. E, embora Susie tivesse muitos primos do seu lado da família, concordara que ela e Lily poderiam se tornar "quase primas"; como parentes de sangue, mas ainda melhor.

– Tchau, sra. Kinecky – Lily gritou para a senhora que morava no andar de cima.

A sra. Kinecky vivia com o marido e eles, embora não tivessem filhos, não estavam nem um pouco sós. Tinham quatro cachorros grandes que corriam para cima e para baixo nas escadas do prédio o tempo todo, de dia e à noite. Atrás das paredes finas do seu apartamento, Lily costumava acordar com o arranhar dissonante das unhas dos cachorros nas escadas de madeira e os latidos altos e roucos.

Lily sorriu para a senhora chinesa que morava ao lado. Havia muitas crianças naquela família, mas Lily não falava nem brincava muito com elas. As famílias chinesas e judias geralmente não se misturavam; apenas um sorriso e um aceno de cabeça na maioria dos dias. Às vezes, Lily tinha vontade de se aproximar das meninas e dos meninos chineses que moravam no prédio. Os pais nunca paravam de lembrá-la de que, diferente da maioria dos países, fora a China que permitira que os judeus da Europa entrassem. Teria sido bom agradecer àquelas pessoas pela bondade que seu país tivera com as famílias judias. Além disso, como filha única, Lily estava ansiosa para ter mais amigos. Susie era ótima, mas ela também tinha seus próprios irmãos, dois meninos. Apesar de os dois serem mais velhos, ainda assim eram companhia para ela. Mas a diferença de idioma e costumes fazia com que fosse difícil Lily falar com as crianças chinesas. Um aceno tímido era tudo que ela costumava conseguir fazer.

– Você ouviu todas aquelas notícias ontem? – Lily perguntou, conforme ela e Susie desciam a rua em direção ao rio. Ela apertou o casaco em volta do corpo e ergueu a gola para cobrir as orelhas.

– Se eu ouvi? Meus pais não pararam de falar disso a noite toda!

Susie era um ano mais nova que Lily, embora ninguém pudesse notar, já que Susie era meia cabeça mais alta. Veja bem, Lily geralmente era a mais baixa onde quer que fosse. Todos eram maiores do que ela, desde as tias e os tios até as outras crianças da sua sala. Ela detestava ser baixa; sempre quisera ser alta e magra. Lily tentava compensar sua falta de altura de outras maneiras. Papai às vezes brincava com ela e dizia: "acho que você tem que falar mais alto para todos a ouvirem aí de baixo."

– Willi disse que nós vamos ter problemas, aqui em Xangai – Lily continuou. – Ele diz que o exército japonês vai começar a vir atrás de nós, como os nazistas fizeram lá em Viena.

Com isso, Susie pareceu pensativa.

– Não sei – ela respondeu depois de uma longa pausa. – Acho que a polícia japonesa está muito ocupada observando os chineses nesta cidade. Não acho que ela vai prestar muita atenção em nós.

Era verdade que os cidadãos chineses de Xangai sofriam nas mãos dos conquistadores japoneses. Empregos eram tirados dos chineses, junto com suas casas, deixando muitos deles sem ter como se sustentarem e sem lugar para morar. A maioria das famílias chinesas acabava em uma área de Xangai chamada Hongkew, do outro lado do Rio Suzhou. Hongkew era conhecida como a parte mais pobre da cidade. Lily nunca ia lá.

Os chineses de Xangai pareciam estar muito piores do que Lily. Por toda a sua volta, riquixás passavam pela rua, puxados por *coolies* chineses que usavam calças e túnicas escuras de algodão, muito manchadas de suor e sujeira. As veias das suas pernas inchavam enquanto eles puxavam a carga de passageiros. Na cabeça, eles usavam chapéus de palha de aba larga amarrados bem apertados sob o queixo. Alguns desses *coolies* não pareciam muito mais velhos do que Lily e Susie e, ainda assim, lá estavam eles, trabalhando por muitas horas para ganhar alguns centavos. Um homem passou pelas meninas carregando um bastão sobre os ombros com uma grande cesta de vime de cada lado. As cestas estavam cheias de legumes e verduras, tão pesadas que o homem sob o bastão estava curvado com a carga. Embora tivesse deixado a maioria dos pertences para trás em Viena, a família de Lily parecia ter uma vida muito mais fácil do que os chineses que ela via todo dia.

– Willi sempre diz que os japoneses são tão ruins quanto os nazistas. E eles são amigos uns dos outros!

– Ó, Willi diz isso, Willi diz aquilo. Você precisa parar de ouvir o seu tio.

Susie colocou o cabelo ondulado atrás da orelha e puxou Lily pela rua.

– Olhe em volta. Está vendo algum soldado japonês? Hoje parece diferente de ontem? Pare de se preocupar tanto e vamos conseguir alguma coisa para comer.

Susie manobrou Lily até um vendedor ambulante que estava oferecendo bolinhos feitos em um vaporizador de bambu bem no meio da calçada. A maioria dos parentes e amigos de Lily não tocaria naquela comida de rua, com medo de que as condições de preparo não fossem saudáveis. O vendedor pegou dois bolinhos muito quentes com um par de pauzinhos, colocou-os em um quadrado de papel marrom e os entregou para as meninas.

– *Xie, xie* – disse Lily.

Nos três anos em que havia morado em Xangai, ela não aprendera muito mais de chinês do que aquele simples agradecimento.

O vendedor sorriu. Depois, assoou o nariz entre os dedos e jogou a massa nojenta atrás de si, limpando as mãos no peito quando tinha terminado. Lily nem estremeceu. Iria passar mal com a comida? Ela nunca parecia se importar com isso, nem Susie. As meninas não perderam tempo e morderam as guloseimas. O exterior era muito macio e um pouquinho crocante, e a massa sem identificação do lado de dentro soltou fumaça à primeira mordida.

Agora atrasadas, as meninas aceleraram o passo e foram depressa em direção ao Bund, o calçadão principal que contornava o rio e percorria a extensão de Xangai. Elas andaram por ruas com nomes americanos, como Broadway, ruas que haviam sido, em certo momento, difíceis de pronunciar, como Chaoufoong, e ruas que pareciam saídas de um conto de fadas, como Poço Borbulhante. Tanto Lily quando Susie viviam em uma área da cidade conhecida como Concessão Francesa. A maioria das pessoas simplesmente a chamavam de Frenchtown. Junto com os judeus, Frenchtown era habitada por britânicos, franceses e americanos. Muitos deles moravam e trabalhavam ao longo do Bund, uma alameda contornada por árvores, com prédios de apartamentos, hotéis, cafés, lojas e teatros. Papai às vezes o chamava de Pequena Viena, porque lembrava muito a casa deles. Do Bund, era possível ver a enseada e os navios com bandeiras de várias nações. Entre essas grandes embarcações ancoradas, estavam dúzias de juncos chineses, barcos chatos de bambu com velas ao vento. Havia sido no porto ao longo do Bund que Lily e Susie chegaram de Viena a bordo de um navio chamado *Conte Biancamano*, tendo o primeiro vislumbre da cidade que aparentava não ter fim. Xangai tinha parecido tão suja naquele momento, nada como a limpeza impecável de Viena. No entanto, nos três anos desde que haviam chegado, a impressão de Lily de Xangai tinha mudado. Tudo estava confortável agora. Xangai virara seu lar, talvez até mais do que a Viena que ela deixara para trás. Mamãe dizia que era incrível como as pessoas se acostumavam com aquilo que viviam e, com o tempo, algo que era estranho se tornava familiar.

Lily estava pensando na escola e em qual motivo poderia dar ao professor para ter se atrasado naquela manhã. Lily frequentava a École Municipale Française Rémi, uma escola católica com aulas em francês. O *directeur* era severo e não seria enganado facilmente por desculpas. Mas Lily era uma boa aluna, em especial em Francês, Inglês e Aritmética.

M. De Chollet costumava escrever *Bien* ou até *Très bien* no boletim dela ao lado dessas matérias. Talvez o atraso de Lily fosse perdoado sem muito problema.

– Onde está todo mundo? – Lily perguntou.

As coisas de repente pareciam muito mais quietas do que o usual. Em um dia normal, era muito mais difícil para as garotas atravessarem a massa espessa de pessoas que enchiam as ruas desde cedo até tarde da noite.

– Você acha que é por causa das notícias no rádio?

– Estava me perguntando a mesma coisa – Susie respondeu. – Até as bicicletas desapareceram.

As campainhas delas normalmente mantinham um ritmo constante com os sons de buzinas de carros e pneus cantando.

Para chegar a Xangai, Lily e a família navegaram a bordo do *Conte Biancamano.*

Administration Municipale

École Municipale Française
École Rémi

200 Route Rémi
Tél. 72543

5581/D.7

Changhai, le 17 Mai 1943

CERTIFICAT

Je soussigné, H. Nicolet de Chollet, Directeur de l'Ecole Municipale Française Rémi, déclare et certifie que le porteur du présent Toufar Liliane ressortissante autrichienne, réfugiée, née le 1er juin 1935 à Vienne, a été élève de l'Ecole Municipale Française Rémi depuis septembre 1942 et qu'elle a quitté l'Ecole en mai 1943

Au cours de l'année scolaire 1942-1943, étant en classe de 11eA, Melle Toufar Liliane a reçu les Notes suivantes:

1)	- Langue française	Note Moyenne	: Bien
2)	- Arithmétique	"	: Bien
3)	- Sciences	"	: ----
4)	- Histoire	"	: ----
5)	- Géographie	"	: ----
6)	- Langue anglaise	"	: Très bien
7)	- Langue russe	"	: Médiocre
8)	- Dessin	"	: ----
	- Conduite	"	: Très bien

Les frais scolaires ont été dûment acquittés.

Fait à Changhai, pour servir et valoir ce que de droit et de raison, le dix-sept mai Mil neuf cent quarante-trois.

H. Nicolet de Chollet
Directeur
de l'Ecole Municipale
Française Rémi
Changhai.

Le Directeur,

Lily recebia as melhores notas em Inglês quando era aluna da École Municipale Française Rémi.

Alguma coisa definitivamente estava estranha e um pouco misteriosa. Lily estava imersa em pensamentos quando ela e Susie viraram uma esquina para chegar ao Bund. Estava tão concentrada em pensar nas ruas quase vazias que ficou surpresa com uma enorme multidão reunida perto da rua principal. Parecia que toda a população de Xangai estava lá, empurrando para chegar mais perto de algo que estava acontecendo no Bund. Mas o quê?

– Então é aqui que todo mundo está. Você faz ideia do que está acontecendo? – Susie perguntou quando um grupo de crianças chinesas passou pelas meninas acotovelando-as, tentando se apertar para chegar à frente dos adultos mais altos.

– Acho que devemos descobrir – Lily respondeu, agarrando a mão da amiga.

Susie resistiu.

– Não sei. Talvez não devêssemos estar aqui.

Lily não queria saber de nada daquilo.

– Não seja covarde – ela disse, sorrindo e puxando a mão de Susie. – Eu quero saber o que está acontecendo.

Com isso, Lily respirou fundo e mergulhou na multidão, aumentando o aperto na mão de Susie; ela não queria perder a amiga ali. Quase sufocando naquele enxame, as meninas empurraram, e cutucaram, e manobraram abrindo caminho, centímetro por centímetro, até que, com um último empurrão, elas se viram na frente da multidão. O sorriso evaporou do rosto de Lily com a visão que as recebeu.

O exército japonês estava desfilando com força total pelo Bund. Estava ali para comemorar sua vitória no ataque aos EUA. E estava ali para mostrar o quão poderoso era. Primeiro, vieram os tanques, enormes e intimidadores, apressando-se pela alameda. Centenas de soldados japoneses vieram atrás, marchando em filas retas, olhando para frente. Em formação perfeita, eles lançavam uma perna dura na frente da outra, batendo-a com força no pavimento com um barulho alto. O som que enchia o ar era como uma batida de tambor grave e lenta, que subia vibrando pelas pernas de Lily e chegava à boca do seu estômago. Os soldados usavam capacetes e carregavam rifles erguidos contra os ombros, com baionetas fixas e prontas. Seus rostos não mostravam expressão. Lily podia ver que muitos deles ainda eram jovens meninos. Suas bochechas eram pálidas e lisas, sem o menor sinal de barba.

Mais perturbadores do que os soldados que passavam marchando, eram os chineses que contornavam a rua para assistir. Não havia aplausos perto de Lily e Susie, nenhum grito de alegria ou animação. Os cidadãos de Xangai estavam com a cabeça baixa sobre o peito. Estavam lá para testemunhar aquele desfile de poder, mas não para celebrá-lo.

As duas meninas observaram com todas as outras pessoas, incapazes de dizer uma palavra. A distância, os sinos do Big Ben, a torre do relógio da Casa da Alfândega, começaram a soar a hora. Lily contou em silêncio as batidas: sete, oito, nove. Foi apenas depois de o desfile ter passado, e restar apenas um eco do tamborilar das botas dos soldados, que Susie enfim virou-se para Lily.

– Seu tio Willi pode estar certo – ela disse em um sussurro. – Acho que vamos ter problemas.

9 de dezembro de 1941

O rádio estava estalando de novo quando Lily se levantou para ir à escola na manhã seguinte.

> *Peço que o Congresso declare que, desde o ataque despropositado e extremamente cruel do Japão no domingo, 7 de dezembro de 1941, há um estado de guerra entre os Estados Unidos e o Império Japonês.*[1]

Era o presidente Roosevelt dos Estados Unidos, falando sobre a guerra entre o seu país e o Japão. Sua voz estava grave e sombria. Lily se vestiu depressa e se juntou aos pais para o café da manhã à pequena mesa. Papai bebericou o chá e olhou para a filha com um sorriso fraco.

– Você dormiu bem, Lily?

Ela fez que sim com a cabeça, olhando para baixo na direção do prato de mingau que mamãe colocara à sua frente e tentando manter os olhos abertos. A verdade era que Lily não havia dormido muito na noite anterior. Todas as vezes em que ela fechava os olhos, tudo o que podia ver eram os soldados japoneses marchando pelo Bund, batendo suas botas no pavimento e levantando as armas no ar. Ela não dissera aos pais que vira o desfile. Eles já pareciam preocupados o bastante com as notícias sobre o que estava se desenrolando pelo mundo. Não teriam ficado felizes em saber que sua jovem filha tinha aberto caminho até a

[1] <www.historyplace.com/speeches/fdr-infamy.htm>.

frente de uma procissão militar. "Melhor guardar essa informação para mim mesma", Lily pensou.

– O que isso tudo significa, papai? – ela disse, acenando com a cabeça em direção ao rádio.

– Muitos americanos morreram no ataque japonês ao Havaí ontem – papai disse, esfregando os olhos e balançando a cabeça. – Ninguém esperava que os japoneses fossem tão poderosos. Depois do que aconteceu, os Estados Unidos não podem ficar parados. Por isso o presidente Roosevelt declarou guerra ao Japão. Nós sabíamos que isso aconteceria – ele acrescentou, levantando os olhos para a esposa.

"Mas o que isso significa para nós?" Essa era a pergunta que Lily queria fazer de verdade. Ela se inclinou na direção do pai.

– Papai – ela começou a falar, escolhendo as palavras com cuidado. – Se o exército japonês está ficando mais forte, você acha que eles vão tentar fazer alguma coisa aqui em Xangai?

– Você ainda está pensando em todas aquelas histórias que seu tio Willi estava contando?

Mamãe parou perto de Lily, as mãos nos quadris.

– É isso que está te incomodando hoje?

Mamãe sempre sabia quando alguma coisa estava acontecendo com Lily.

"Como eu pergunto sem falar sobre o desfile?", Lily respirou fundo.

– Só estou me perguntando... – ela começou. – Digamos que mais soldados japoneses venham para cá. Vocês acham que eles fariam alguma coisa conosco?

– Chega de conversa – mamãe disse, tirando o prato de Lily. – Com as transmissões do rádio e as histórias do Willi, já tivemos o bastante. Está na hora de você ir para a escola, Lily.

Ela suspirou. Colocou o casaco e o chapéu e pegou a mochila com os livros, parando para abraçar o pai antes de sair.

– Você vai ler para mim hoje à noite? – ela perguntou.

Papai estendeu a mão para beliscar a bochecha de Lily.

– Sua vez de escolher o livro.

Lily tinha apenas um desejo enquanto saía pela porta, e era que não houvesse mais notícias ruins no mundo. Mas isso não aconteceria. Em 11 de dezembro, o rádio cuspira a informação de que a Alemanha e a Itália haviam declarado guerra contra os Estados Unidos. Os EUA devolveram com uma rápida declaração de guerra contra a Alemanha e a Itália. O mundo estava à beira de uma batalha maior do que qualquer uma que Lily pudesse ter imaginado. Mamãe e papai ainda resistiam a responder às perguntas. E Willi era o pior, provocando a sobrinha mais do que o de costume com meias verdades e avisos de que o exército japonês iria pegá-la. Ela cobria as orelhas e, por fim, afastava-o, correndo para a segurança da sua pequena cama. Depois do que Lily havia testemunhado no Bund, ela estava começando a acreditar no que quer que Willi dissesse! Papai teve que intervir de novo e dizer a ele para parar de atormentá-la.

Várias semanas depois, Lily e os pais foram convidados para o jantar de Natal na Casa dos Missionários. Embora sua família não comemorasse aquele feriado, o convite era uma ótima desculpa para tentar deixar as preocupações de lado e se arrumar para uma noite elegante. Além disso, a comida que os missionários serviam era sempre deliciosa, e havia muito dela.

A missão era administrada pela reverenda Lawler e sua filha, Beatrice. Elas e a maioria dos outros missionários eram dos EUA; estavam posicionados em Xangai, onde haviam assumido o desafio de tentar converter os moradores locais ao cristianismo. A reverenda Lawler havia sido a primeira pessoa que Lily e os pais tinham conhecido quando pisaram fora do navio para a costa de Xangai em 1938. Lily lembrava o quanto a vista e os sons do porto tinham parecido coisa demais para eles todos aguentarem, junto com os cheiros e a multidão de milhares de pessoas desesperadas e confusas. E, depois, eles haviam escutado a voz da reverenda Lawler.

– Bem-vindos – ela dissera, abrindo bem os braços para abraçar Lily.

A reverenda Lawler tinha olhos azuis intensos e cabelos grisalhos que estavam presos em um coque apertado na parte de trás da cabeça. Lily cedera ao abraço, embora não tivesse ideia de quem aquela mulher era.

– Estou aqui para ajudá-los – a reverenda Lawler acrescentara. – Vamos começar pelo começo. Se vocês vierem comigo, tenho um lugar onde podem ficar. É temporário, mas é muito melhor do que a outra opção.

A opção a que a reverenda Lawler se referira eram os *heims*, uma série de prédios tipo casernas, construídos para abrigar refugiados judeus ao chegarem a Xangai. Na verdade, *heim* era uma palavra alemã que significava "lar", embora aqueles lugares mal pudessem receber esse nome. As condições lá eram horríveis! Lily tinha visitado um *heim* onde o amigo de Susie, Jacob, morava. Jacob e centenas de outros refugiados estavam amontoados em um aposento. Famílias eram separadas umas das outras por lençóis rasgados pendurados em bastões suspensos em vigas de madeira. Essas cortinas improvisadas não ofereciam quase nada de privacidade. A comida nos *heims* era impossível de comer, e os banheiros não existiam; as pessoas tinham que usar baldes colocados em barracos de madeira mal construídos.

– Não sei se eu teria sobrevivido em um lugar assim, nem mesmo por uma noite – mamãe costumava dizer.

Em contraste, a Casa dos Missionários oferecera a Lily e sua família um quarto privativo, lençóis limpos nas camas e comida boa e farta. Eles sabiam que, em troca, teriam que viver com o objetivo determinado da reverenda Lawler em convertê-los. Mas valia a pena. Haviam ficado lá por vários meses até papai ter encontrado o pequeno apartamento onde agora viviam.

Agora, a reverenda Lawler estava na porta da missão para cumprimentar a família de Lily.

– Feliz Natal para todos vocês! – ela exclamou. – Estamos aqui para comemorar o nascimento do nosso salvador e para agradecer a Deus por tudo o que temos, mesmo nestes tempos difíceis.

Lily deixou-se ser abraçada, como sempre fazia. A reverenda Lawler era gentil, e sua filha, Beatrice, era carinhosa e animada. Mas, ainda assim, Lily ficava desconfortável na presença dos missionários. Ela não gostava de toda aquela conversa sobre Deus e cristianismo. Embora respeitasse a opinião dos missionários, ela não acreditava em Jesus e nunca acreditaria. A reverenda Lawler não sabia que ela era judia? Era verdade que a família de Lily não seguia todas as regras e costumes da religião. Em Viena, eles não frequentavam a sinagoga, a não ser nos feriados religiosos importantes. Porém, mesmo assim, nunca abandonariam sua religião, não importava o quão atenciosos os missionários fossem.

Lily e os pais entraram na elegante sala de jantar e sentaram-se à longa mesa com as outras famílias que a reverenda Lawler convidara. Susie estava lá, e ela e Lily rapidamente mudaram de lugar até ficarem sentadas uma ao lado da outra.

A mesa estava cheia de pratos de louça bonitos e fileiras de talheres de prata. Lily não fazia ideia de com qual garfo começar e qual colher usar. Susie parecia saber o que fazer e, assim, Lily observou com atenção e a copiou.

Antes de começar a refeição, a reverenda Lawler passou um pote cheio de pequenas tiras de papel pela mesa.

– Há um salmo escrito em cada pedaço de papel – ela disse. – Cada um de vocês deve tirar um e ler em voz alta antes de passar o pote adiante.

A maioria dos convidados murmurou em aprovação, enterrando as mãos no pote como se estivessem atrás de um prêmio e recitando sua prece com entusiasmo. Quando chegou a vez de Lily, ela pegou uma tira do pote e leu com a voz clara:

– Um banquete é preparado com meu cálice transbordando. Minha cabeça é ungida com óleo...

A reverenda Lawler observou com atenção, com um sorriso largo. Lily baixou a cabeça e começou a comer a sopa que foi colocada à sua frente, um caldo leve de peixe cheio de pedaços de legumes.

A conversa à mesa imediatamente se transformou em uma discussão sobre a guerra, e Lily parou entre as colheradas de sopa para ouvir cada palavra. Ela estivera tentando saber a verdade sobre o que estava acontecendo no mundo a partir das conversas que escutava os pais sussurrarem tarde da noite, quando achavam que ela estava adormecida. Mas era difícil descobrir como tudo aquilo iria afetar os judeus de Xangai. Embora seus tios e tias estivessem sempre por ali, ouvindo o rádio e tentando escutar trechos de notícias mundiais, o aparelho era desligado quando Lily fazia muitas perguntas. Depois, a conversa chegava a um fim repentino, ou as vozes baixavam para um murmúrio. Tia Stella ou tio Walter intervinham e logo levavam o rádio de volta ao seu lugar em uma mesa de canto. Porém, mesmo assim, eles ficavam olhando desejosos em direção ao aparelho, perguntando-se se estavam perdendo alguma informação crucial.

– O exército japonês está na cidade toda – papai estava dizendo. – Suas bandeiras estão tremulando em todos os prédios... Aquele grande círculo vermelho no fundo branco. Eles chamam de bandeira do sol nascente. Bem, os sóis estão nascendo por toda parte em Xangai.

Ele bufou ao dizer isso.

A notícia do desfile no Bund havia se espalhado pela cidade, embora os pais de Lily ainda não soubessem que ela estivera lá para ver.

– Britânicos, franceses e americanos, todos estão sendo barrados na cidade ou presos se não vão embora – acrescentou mamãe. – Todos os navios americanos e britânicos foram afundados na enseada.

Lily também vira fumaça e chamas subindo dos navios ancorados perto do Bund. A visão de dúzias de barcos queimando apenas contribuíra para os seus medos.

– Você não teme pela sua segurança, reverenda Lawler? – perguntou mamãe.

A reverenda Lawler fez que não com a cabeça.

– Estamos aqui para fazer o trabalho de Deus – ela disse, com calma. – Ninguém vai nos forçar a ir embora.

– Talvez não seja tão ruim ter os Estados Unidos nesta guerra – papai continuou. – Precisamos de alguém como Roosevelt para ir atrás de Hitler.

Com isso, os convidados em volta da mesa murmuraram em aprovação. Um homem bateu a mão fechada no tampo e exclamou:

– Mais de 3.500 americanos foram feridos ou mortos no ataque a Pearl Harbor. Roosevelt não vai parar até ter compensado cada vida perdida.

Susie cutucou Lily por baixo da mesa.

– Podemos sair?

Lily fez que não com a cabeça. Ela ficava enfurecida com o fato de os adultos não a incluírem nas suas discussões. Era difícil entender tudo com as informações truncadas que ela estava descobrindo. Era como saber apenas o começo ou o meio de uma história que papai talvez lesse à noite, mas nunca saber o fim. Porém, quando ela pressionava os pais para contarem a verdade sobre o que estava acontecendo em Xangai e no mundo, a resposta deles sempre era a mesma.

– A família está unida e isso é tudo o que importa – papai dizia.

– Você não deve se preocupar, Lily – mamãe acrescentava. – Estamos bem, não estamos? E nada vai mudar isso.

Lily não acreditava mais naquilo. Pelo menos ali, na casa da reverenda Lawler, ela podia bisbilhotar a conversa, sem ninguém reparar. Susie a cutucou de novo, mas Lily afastou a mão dela. Nesse momento, a reverenda Lawler levantou o olhar.

– Acho que está na hora de os mais novos irem para o salão principal – ela falou. – Esta conversa não é para eles e há algo especial acontecendo lá de que eu acho que todos vão gostar.

Lily suspirou, impedida mais uma vez de ouvir a discussão.

– Finalmente! – Susie exclamou enquanto todas as crianças pediam licença e seguiam para a outra sala. – Achei que nunca conseguiríamos sair dali. Não tenho certeza do que é pior, as orações e os salmos que a reverenda Lawler nos faz recitar ou aquela conversa sobre guerra.

Ela acrescentou que não aguentava mais nenhum dos dois.

Lily não sabia o que dizer. Ela não sabia como explicar para a amiga que não entender a verdade completa era pior para ela do que ouvi-la. Em vez disso, ela seguiu Susie até a sala principal onde a reverenda Lawler dissera que algo especial estava acontecendo. Quando as crianças entraram, foram recebidas pela visão de uma árvore de Natal gigante, decorada com velas e pequenos ornamentos. Lily tinha que admitir, era linda. Enquanto ela estava admirando a árvore em um canto da sala, houve uma grande comoção no outro.

– Ho, ho, ho, feliz Natal! – gritou uma voz atrás dela. – Venham ver o que o Papai Noel trouxe para todas vocês, crianças maravilhosas!

Susie e os outros meninos e meninas se reuniram ao redor do Papai Noel, levantando os braços para aceitarem um dos presentes que ele oferecia do seu grande saco. Mas Lily, não.

Papai Noel a viu separada do grupo e andou até ficar em frente a ela.

– Ora, ora, menininha. E qual é o seu nome?

Lily congelou. Ela levantou o olhar para o homem gordo com as bochechas vermelhas e fofas e a voz grave, e seu coração disparou. Ela tinha pavor do Papai Noel e sempre tivera. Lembrava-se de que sua professora, em outro Natal, havia distribuído imagens dele para as crianças colorirem. Lily o colorira com azuis e verdes escuros, quase apagando sua imagem. A professora tinha ficado brava quando Lily mostrara o desenho para ela.

O Papai Noel não desistia.

– O gato comeu a sua língua, menininha? – ele falou alto.

– Eu... Eu... – Lily gaguejou.

Ela não sabia por que o Papai Noel a assustava tanto. Era culpa do tio Willi e de todas as suas histórias sobre fantasmas e criaturas más? Era por isso que aquele homem enorme de roupa vermelha parecia tão aterrorizante?

– Venha olhar dentro do grande saco do Papai Noel e ver se tem algo ali que você gostaria de ter.

Aquilo foi suficiente para mandar Lily correndo para a sala de jantar. Ela chegou bem a tempo de pegar o final da conversa dos adultos. E aquilo a fez parar de repente. Papai estava falando de novo:

– Hitler está tentando deixar a Europa toda *Judenfrei*, sem judeus. Ele vai convencer o Exército Imperial Japonês a fazer o mesmo aqui em Xangai?

O outro cavalheiro que tinha falado mais cedo fez que sim com a cabeça e bateu na mesa de novo.

– O Japão não vai querer fazer nada para irritar Hitler.

– Como é possível a guerra na Europa estar nos seguindo aqui? – mamãe perguntou, fazendo que não com a cabeça, sem acreditar. – Nós todos já não tivemos problemas suficientes nas nossas vidas?

Naquele momento, mamãe viu Lily parada na entrada. Ela cutucou o marido e apontou para a filha. Papai limpou a garganta e respirou fundo.

– Não vamos tirar conclusões precipitadas – ele comentou depressa. – Os problemas no resto do mundo ainda estão muito distantes. As coisas podem acalmar mais cedo do que achamos.

Lily não tinha tanta certeza.

Fevereiro de 1942

Conforme o Natal e o Ano Novo passavam, a presença japonesa em Xangai continuava a crescer. Tropas patrulhavam cada canto da cidade agora, não apenas o Bund. Todos os dias, no caminho para a escola, Lily e Susie passavam por soldados que, como abutres, observavam os cidadãos de Xangai. Lily sempre mantinha a cabeça baixa e apertava a mochila de livros contra o peito, esperando que os soldados não reparassem nela. Susie fazia o mesmo. As duas meninas nunca paravam. Mas outras pessoas não tinham tanta sorte. E os que eram detidos geralmente eram cidadãos chineses.

Certo dia, Lily viu um soldado japonês puxar um velho chinês de uma bicicleta e ordenar que abrisse a grande trouxa de tecido que levava nas costas. O velho homem agachou-se e envolveu a cabeça com os braços. Ele estava chorando e murmurando alguma coisa.

E, embora Lily não conseguisse entender uma palavra do que ele estava dizendo, só podia imaginar que ele estava implorando para o soldado deixá-lo em paz e permitir que voltasse para casa e para a família. O soldado riu apenas e pegou alguns melões e maços de alface do pacote do velho antes de mandá-lo se levantar e chutá-lo para sair andando.

Lily se sentia muito triste de ver homens e mulheres chineses idosos se curvarem para os grosseiros soldados japoneses, que cuspiam ordens para eles e os forçavam a abrir seus pacotes. Ela queria muito ajudar. Ela queria gritar para os soldados e dizer:

– Parem de machucar essas pessoas. Elas não estão fazendo nada com vocês!

Lily e sua família primeiro moraram na Concessão Francesa, uma área de Xangai que todos chamavam simplesmente de Frenchtown.

Ainda assim, ela sabia que não havia nada que pudesse fazer, assim como os cidadãos chineses não tinham escolha a não ser se submeterem àquelas inspeções.

– Parece muito pior para todos do que era antes de Pearl Harbor – Lily comentara com Susie certo dia, depois de testemunhar um soldado tirar uma bicicleta de uma menina chinesa.

A menina ficou parada no meio da rua soluçando, enquanto, por toda a sua volta, as pessoas passavam depressa, mal prestando atenção nos seus problemas.

– Temos sorte de eles não estarem vindo atrás dos judeus – Susie respondeu.

Era exatamente aquilo que estava preocupando Lily.

– Por que você está dizendo isso? – ela quis saber.

– Meu pai disse que os soldados japoneses estão determinados a mostrar que estão no comando de todos aqui em Xangai. Mas, enquanto o exército estiver focado nos chineses, não vai se importar muito com a gente.

"Será mesmo?", Lily perguntou-se. Os cidadãos chineses haviam se tornado algum tipo de barreira protetora, ficando na frente dos judeus de Xangai e levando todos os maus-tratos? Aquilo fazia a difícil situação deles ser muito mais confusa para Lily. Embora fosse doloroso ver aqueles homens, mulheres e crianças serem tão maltratados, Lily estava aliviada pelo exército japonês estar com o foco neles e não nas famílias judias. Mesmo assim, ela ainda estava preocupada com o que aconteceria se e quando o exército japonês se cansasse de provocar os chineses. Os judeus seriam os próximos?

Os pais de Lily, como todo mundo, também estavam nervosos e evitando todas as suas perguntas. Papai até parara de ler histórias para ela à noite.

– Talvez você possa ler sozinha, minha querida – ele dizia. – Só estou um pouco cansado.

Lily não tinha escolha, a não ser retirar-se para a sua cama com seus livros. Naqueles dias, ela morava dentro da própria cabeça, imaginando e se preocupando com como aconteceria. Cada dia que ela chegava à sua casa em segurança era um dia em que agradecia em silêncio por ela e outros residentes judeus de Xangai não estarem sob ataque. Ninguém estava derrubando a porta deles para ir pegá-los. Nenhum judeu estava sendo preso da forma como acontecera na véspera da fuga da família dela de Viena. Conforme os primeiros dias de 1942 passavam, Lily continuou a esperar que a guerra contra os judeus na Europa ficasse lá e não fosse para a costa de Xangai.

Lily chegou em casa da escola no começo de fevereiro e achou o apartamento vazio. Ela estremeceu enquanto passava pela porta, sem se dar ao trabalho de tirar o casaco. Às vezes, parecia que era tão frio do lado de dentro quando do lado de fora. Seus pais estavam no trabalho. Papai fazia diversos trabalhos por Frenchtown. Às vezes, ele vendia roupas e outros artigos. Às vezes, fazia e vendia sapatos com pedaços de couro que conseguia com trocas. Às vezes, ajudava Stella e Walter na sua cafeteria. Ele até trabalhava como manicure e pedicure para alguns homens e mulheres judeus da vizinhança. Brincava que podia fazer os pés mais feios parecerem delicados como porcelana. Ele saía de casa antes das sete da manhã, geralmente voltando depois das nove da noite.

Mamãe trabalhava em um convento por períodos tão longos quanto os de papai; lá ela ensinava bordado e costura para meninas chinesas. O bordado da mamãe era cheio de detalhes, como trabalhos de arte feitos em tecido. Ela teve uma loja de bordado em ponto cheio em Viena anos antes, onde várias pessoas trabalhavam para ela. Sua máquina de costura com pedal havia provado ser um dos itens mais importantes que a família conseguira levar para Xangai. Tinha viajado com eles de trem para a Itália, de navio de lá até o porto e da Casa dos Missionários até aquele apartamento. Agora, estava em um canto, com bordados empilhados, prontos para serem costurados em bolsas e outros itens. Quando eles haviam chegado a Xangai, Lily costumava ir com a mãe para o convento. Havia coelhos mantidos em pequenas gaiolas nos fundos, e Lily ajudava a alimentá-los. Aquilo acabou quando ela começou a ir para a escola.

Depois disso, Lily às vezes ficava sozinha no fim do dia. De vez em quando, tia Nini cuidava dela enquanto mamãe trabalhava até tarde. Mas, com mais frequência, era a vovó quem estava lá quando Lily voltava para casa da escola. Vovó sempre tinha um lanchinho à espera, e Lily se sentava à mesa no centro da sala e contava à avó as coisas que haviam acontecido na escola naquele dia. O inglês da vovó não era muito bom e aquela era a única língua em que Lily queria falar. Lily explicava com paciência as lições que aprendera e a tarefa de casa que tinha de terminar.

A vovó de Lily.

– *Gott in himmel*! – vovó exclamava no seu alemão nativo. – Deus do céu, mais devagar, Lily. Não consigo entender quando você fala tão rápido.

Lily repetia as histórias, mais devagar, pronunciando com cuidado cada palavra para a avó conseguir acompanhar. O coração de Lily sempre doía quando ela pensava na vovó. Sentia falta das conversas particulares dela. O relacionamento delas nem sempre fora tranquilo. Lily lembrava-se de que tinha, algumas vezes, atormentado a avó, e uma vez em especial ficou na sua memória.

Além de odiar sua altura, Lily também odiava seu cabelo ruivo e as sardas que enchiam o dorso do seu nariz e derramavam-se para suas bochechas arredondadas e para a testa. Rostos redondos eram comuns no lado da família da mãe; ela herdara as sardas do papai. Bem, não havia muito o que pudesse fazer a respeito das sardas e da altura. Estava condenada a ser a mais baixa da família. Porém, deduziu que havia algo que poderia fazer quanto ao cabelo.

Certo dia, cerca de um ano depois de a família ter chegado a Xangai, Lily voltou da escola e decidiu que iria tingir o cabelo de outra cor. Qualquer coisa seria melhor do que o loiro avermelhado sem graça que ela tinha. Ninguém estava em casa naquele dia e, assim, Lily vasculhou o apartamento e, enfim, achou um frasco de tinta preta para sapato que a mamãe usava para escrever bilhetes. Lily inspecionou o frasco, abrindo-o com cuidado e cheirando o conteúdo. O odor era horrível, mas com certeza seria suficiente.

Ela saiu para a varanda segurando o frasco de tinta. "Ninguém vai saber de nada", pensou, "principalmente se eu não fizer bagunça lá dentro". Em nenhum momento ela imaginou o que seus pais achariam do resultado. Baixou a cabeça e começou a derramar o conteúdo do frasco no cabelo. Gotas de líquido pre-

Vovó andando de riquixá em Xangai.

to começaram a se amontoar nas tiras de madeira sob seus pés. "Ah, não", Lily pensou, de repente percebendo que seu plano podia não ter sido o mais inteligente. Mas era tarde demais para parar. Quando estava derramando as últimas gotas na cabeça, ouviu a porta do apartamento ser aberta e vovó entrar.

– *Was haben Sie gemacht*? O que você fez? – vovó gritou assim que viu a bagunça na cabeça de Lily e no chão da varanda.

Vovó ficara furiosa, perseguindo Lily pelo apartamento, a mão erguida no ar, pronta para bater na neta se a pegasse. Lily desviou para um lado e para o outro, evitando a mão esticada da vovó. Ela podia ser pequena, mas era rápida. Duvidava de que a avó realmente fosse bater nela; aquilo nunca acontecera antes. Mas ela não iria arriscar. Bem quando Lily estava prestes a sair correndo pela porta do apartamento, ouviu um baque alto atrás dela. Quando olhou para trás, viu a avó estendida no chão, sem se mexer. Vovó havia caído, tropeçado em um pequeno banco no qual Lily costumava se sentar. O cabelo tingido, junto com a possibilidade de punição, foi instantaneamente esquecido quando Lily correu para o lado da avó e ajudou-a a se levantar e ir para uma cadeira. Não ficou claro quem estava gemendo mais alto, vovó, que obviamente estava sentindo dor por causa da queda, ou Lily, que estava angustiada e chorando por causa de todo o incidente.

Depois daquele dia, tudo pareceu ir ladeira abaixo para vovó; pelo menos foi nisso que Lily acreditou. Vovó ficou mais fraca. Parou de tocar no piano da cafeteria de Stella e Walter. Tinha dificuldade para subir as escadas e caía em uma tristeza profunda que não ia embora.

– Sinto muito – Lily sussurrava ao ajoelhar ao lado da cama de vovó, ansiando para que a avó falasse com ela, ou até gritasse com ela.

– Abra os olhos, vovó. Por favor! Posso contar sobre o meu dia na escola. Vou falar devagar para você entender cada palavra.

Lily não tinha resposta.

– Não é sua culpa – mamãe disse a Lily todos os dias depois disso e mesmo depois de vovó morrer e ser enterrada no cemitério judeu nos arredores de Xangai. – Sua avó estava doente, provavelmente antes de nós virmos para esta cidade.

– Se ela não estivesse me perseguindo, isto nunca teria acontecido – Lily respondia, triste.

Mamãe suspirava e fazia que não com a cabeça.

– Era apenas uma questão de tempo até ela morrer. Não teve nada a ver com você.

Lily queria acreditar naquilo, mas não conseguia. Foram necessários meses depois do incidente com a tintura de sapato para o cabelo de Lily voltar à cor normal. Foi necessário muito mais tempo para ela se recuperar da morte da vovó. Lily pensava naquilo agora, enquanto vasculhava a pequena caixa térmica, procurando algo para preencher a sensação de vazio no estômago. Não havia nada lá, só um pouco de queijo fedido de que papai gostava. Lily vagou até o corredor, perguntando-se se mamãe chegaria logo e traria alguma guloseima para ela; talvez um pãozinho de açúcar do salão de jantar do convento, ou alguns legumes preparados no vapor e enrolados em papel de arroz.

Os cachorros da sra. Kinecky quase derrubaram Lily quando ela saiu para a escada. Dois deles eram quase do tamanho dela. Saiu depressa do caminho antes de ser pisoteada e se viu perto da porta aberta do apartamento que pertencia aos seus vizinhos chineses. Lily espiou para dentro, curiosa em saber quem estava em casa e o que poderiam estar fazendo. A mãe estava ocupada cozinhando o jantar em frente ao fogão. Bem, não era um fogão de verdade. Era apenas um grande vaso de argila com uma grade de metal dentro para segurar os carvões queimando. A maioria das famílias tinha esses fogões. Havia sido um desastre a primeira vez que mamãe tentara acender os carvões no seu vaso, Lily lembrava. Um precioso palito de fósforo após o outro fora descartado enquanto Lily tentava abanar os carvões em busca de uma faísca e mamãe tentava freneticamente acrescentar pedaços de papel para criar uma labareda. Havia levado muito tempo para descobrirem como fazer aquilo da maneira adequada. A mulher chinesa do apartamento ao lado era especialista. Os carvões estavam quentíssimos e uma panela de água havia sido colocada em cima para ferver. Uma criancinha estava agarrada à perna da mãe, chupando dois dos seus dedos. Ela levantou o olhar para Lily na porta e, depois, baixou-o depressa. O cheiro forte de alho e gengibre enchia o pequeno aposento e soprava para o corredor, onde Lily estava parada observando. A mãe aproximou-se da panela mais uma vez, agora levando uma lagosta viva. A lagosta se contorceu e se arqueou nas mãos dela conforme a mulher a baixava com delicadeza para a água fervente. Bem quando a lagosta agitada atingiu a água borbulhante, ela começou a guinchar e gritar. Era um som que Lily nunca ouvira antes. Ela não fazia ideia de que era apenas o barulho do vapor escapando da casca. Na sua mente, a lagosta estava gritando de dor. Os gritos eram tão insuportáveis que Lily começou a berrar também.

– Pare, pare, você está machucando a lagosta! – Lily gritou.

Ela ficou congelada no mesmo lugar, os olhos fixos na panela de água fervente e a lagosta ainda se torcendo lá dentro.

A mulher assustada levantou o olhar e correu para perto de Lily.

– Sem dor, sem dor – ela disse, acariciando o braço de Lily e tentando silenciá-la.

Sua filhinha estava enrolada na sua perna agora, como se temesse ser a próxima na panela!

Lily não viu nem ouviu nada além dos gritos contínuos vindo da água fervente. Segundos depois, ela conseguiu mexer as pernas, virou-se e fugiu para a segurança do seu apartamento, batendo a porta atrás de si. Quando mamãe chegou, algum tempo depois, Lily ainda estava enrolada como uma bola na cama, revivendo o horror de ter testemunhado a morte da lagosta. Mamãe teve que persuadi-la para que contasse a história, tentando não rir enquanto a filha descrevia a cena.

Lily levou muito tempo para se acalmar e, mesmo mais tarde na noite, ela ainda conseguia ver a lagosta se remexendo e guinchando. Talvez estivesse tão perturbada com a lagosta por causa das memórias anteriores de vovó berrando de dor depois de cair no apartamento. Qualquer que fosse o motivo, uma coisa era certa. O incidente da lagosta apagara todos os pensamentos sobre a guerra na Europa ou a possibilidade de ela chegar à costa de Xangai. Talvez essa fosse a única coisa boa que resultara de todo o episódio.

– Eu nunca vou comer lagosta enquanto eu viver – Lily sussurrou para a escuridão.

E, com isso, ela se virou e dormiu.

Maio de 1942

Muitos meses se passaram e, em um domingo quente de primavera em maio, mamãe estava curvada sobre a mesa, escrevendo alguma coisa em folhas de papel espalhadas à sua frente. Era mamãe quem cuidava das finanças. Todos os meses, ela registrava com cuidado cada centavo que era ganho e gasto, garantindo que a família teria o suficiente para sobreviver.

– Graças a Deus sua mãe tem jeito para os negócios – papai sempre dizia. – Se ficasse só por minha conta, provavelmente estaríamos na rua!

Lily sabia que a sua mãe não era como outras mães, que cozinhavam e limpavam o dia todo. O som da caneta de mamãe riscando o papel era um acompanhamento de fundo suave para Lily enquanto ela ficava lendo na cama. Porém, naquele dia, a caneta da mamãe parara. Foi o silêncio que fez Lily levantar os olhos do livro.

A porta da varanda estava bem aberta e o sol invadia o pequeno apartamento. Lily podia ver que mamãe tinha tirado algumas cartas antigas de uma pequena caixa que ela guardava debaixo da cama. Estava debruçada sobre as cartas e murmurando algo. Às vezes, limpava os olhos com um lenço que guardava na manga da blusa. Lily vira a mãe ler aquelas cartas antes e estava prestes a dizer alguma coisa quando papai falou primeiro.

– Isso não faz bem para você, Erna – ele disse, fazendo que não com a cabeça.

Papai estava amontoando rolos de panos e tecidos em uma grande pilha.

– Falei para você parar de ler essas cartas do nosso país.

Mamãe balançou um envelope no ar. Era azul claro e fino como uma camada de pele. Ele flutuou na brisa quente que veio do lado de fora.

– Fiquei aliviada por nossa família ter conseguido sair de Viena em segurança. Mas há amigos que nós deixamos para trás. Não tenho notícias de Berta ou Simon há meses, não desde que foram tirados da casa deles. E nenhuma notícia de Dora há mais de um ano.

– Estou tão preocupado quanto você – papai disse. – Mas você não vai conseguir nenhuma resposta, não importa quantas vezes releia essas cartas.

Mamãe abriu a boca para responder e, depois, fechou-a.

Lily não disse nada. O livro estava apoiado ao seu lado, aberto, mas esquecido enquanto ela ouvia com atenção o que os pais estavam dizendo. Ela sabia que, nos anos desde que chegara a Xangai, os judeus do seu país haviam sido movidos para áreas de cidades grandes e pequenas que eram iguais a prisões. E não apenas na Áustria; estava acontecendo na Alemanha, na Tchecoslováquia, na Polônia e em outros países. Esses lugares eram chamados de guetos e, pelo que os pais lhe contaram, as condições lá eram inumanas. Porém, quando Lily pressionava a mãe para ter notícias do que acontecera com os amigos que eles deixaram para trás, mamãe fazia que não com a cabeça e recusava-se a responder. Era Willi que dizia que eles provavelmente estavam todos mortos.

– Aqui! Escute o que a Berta escreveu.

Mamãe começou a ler uma das cartas.

> *... Eles levaram minhas joias e o resto do nosso dinheiro, simplesmente vieram e roubaram coisas enquanto nós éramos forçados a ficar parados e observar. Porém, agora, disseram-nos que seremos realocados para uma nova cidade. Talvez lá tenha mais coisas para nós. Com certeza não pode ser pior do que tem sido aqui...*

Mamãe levantou o olhar.

– Realocados! O que isso significa?

Papai fez que não com a cabeça e soltou um suspiro pesado.

Mamãe insistiu:

– Para onde eles foram mandados? E por que não tivemos notícias?

– A família da Susie não soube dos parentes deles também.

Ao som da voz de Lily, mamãe e papai se viraram, como se tivessem percebido de repente que Lily estava na sala ouvindo a conversa deles. Mamãe levantou-se da máquina de costura e enfiou as cartas de volta na caixa.

Papai limpou a garganta.

– Vou para Hongkew hoje. Tenho que entregar estes materiais para uma loja lá. Lily, você gostaria de ir comigo?

Lily queria falar mais – fazer algumas perguntas sobre os guetos e o que significava viver lá –, mas parecia que sua chance acabara.

Papai continuou:

– Achei que você poderia me fazer companhia.

Os olhos de papai pareciam cansados. Era algo que Lily notara desde que todas aquelas notícias ruins haviam começado a chegar a respeito da guerra na Europa e na América. De fato, Lily percebera que papai não contava uma piada nem ria havia semanas. Ela sentia falta disso. Aquela era uma chance de passar uma manhã com ele, apenas os dois. Era outra coisa da qual ela sentira falta nas semanas anteriores. Mas Hongkew! Aquele era o lugar onde as famílias chinesas mais pobres moravam. Lily nunca colocara os pés naquela parte de Xangai. Ela não tinha certeza se queria ir.

– É seguro, Fritz?

Mamãe havia empurrado a caixa de cartas de volta para debaixo da cama.

– Digo, para a menina.

– Ela vai estar comigo – papai respondeu. – Não vai acontecer nada de ruim com ela.

Ele se virou de novo para a filha.

– Então, o que acha, Lily? Quer dar uma saída com o seu papai?

Lily levantou da cama.

– Vamos – ela disse.

Pegou a malha, mas não antes de mamãe ter enchido seus bolsos com duas maçãs e dois biscoitos.

– Caso você fique com fome – ela falou. – Agora, segure a mão do seu pai – mamãe orientou – e não deixe de escutá-lo. Nada de sair correndo. Lily, você ouviu?

A voz de mamãe seguiu Lily porta afora e escada abaixo.

Ela se virou para acenar para mamãe e, depois, colocou a mão com firmeza na do pai, andando depressa enquanto tentava acompanhar os passos grandes dele. O sol brilhava forte sobre Frenchtown e, em minutos, Lily estava suando e desabotoou a malha. Até a testa do papai brilhava no calor do dia de primavera. Parecia que todo mundo havia saído para as ruas. Riquixás andavam em um ritmo apressado. Bicicletas desviavam em volta e entre os carros e pedestres. Vendedores de rua gritavam para os passantes, pedindo que parassem e experimentassem suas mercadorias. Os policiais japoneses estavam na rua também, parados nas esquinas com as armas ao lado do corpo. Porém, parecia que o clima quente os havia suavizado também. Ninguém estava sendo parado. Lily se sentiu calma. Naquele dia, não haveria rádios com notícias da guerra e nenhuma previsão assustadora, mais nenhuma conversa sobre guetos e o que acontecera com os parentes deixados para trás, e nada de soldados japoneses indo atrás deles. Aquele era um dia para passar o tempo com o pai.

– Vamos jogar um jogo? – papai perguntou. – Talvez adivinhar o que estamos vendo?

Lily praticamente guinchou de alegria.

– Você começa! – ela gritou.

Papai parou e olhou atrás de si.

– Estou vendo, aqui na rua, uma coisa marrom.

Lily olhou ao redor e para cima e para baixo da rua lotada onde eles estavam. Depois, ela disse:

– É o cachorro marrom andando logo atrás de nós?

Papai fez que sim com a cabeça.

– Essa foi fácil demais – Lily disse.

Papai havia entregado o jogo assim que olhara atrás de si.

Ele riu.

– Da próxima vez, vou pensar em algo mais desafiador.

Era a vez de Lily. Ela parou, virando a cabeça para a esquerda e a direita, e depois disse:

– Estou vendo, aqui na rua, uma coisa vermelha.

– É o vermelho no carrinho de puxar ali?

Lily fez que não com a cabeça.

Papai apontou para um vendedor de rua.

– E quanto ao vermelho dos rabanetes na cesta daquele homem?

Também não era. Papai tentou mais três chutes e, depois, encolheu os ombros.

– Desisto – falou.

Lily riu.

– É o vermelho da malha que eu estou usando.

Papai não vira a coisa mais óbvia de todas. Lily estava tão envolvida no jogo que, de início, nem percebeu que tudo à sua volta estava mudando drasticamente. Ela e o pai estavam deixando Frenchtown bem para trás e se aproximando do distrito de Hongkew. Casas e apartamentos eram menores, apertados uns nos outros, engolindo a luz até só restar uma neblina escura e suja. Becos brotavam como tentáculos de um polvo. Lily ficou mais quieta e, conforme começou a olhar ao redor, seus olhos se arregalaram com visões e sons desconhecidos. Parecia que eles estavam entrando em um labirinto escuro e misterioso.

Ali, as ruas eram completamente entupidas de chineses que cuidavam dos seus afazeres. Em segundos, Lily e o pai foram cercados por várias crianças de aparência maltrapilha, esticando as mãos abertas na direção dos rostos deles. Papai colocou a mão no bolso, tirou alguns centavos e entregou-os para as crianças que partiram sem olhar para trás. Um mendigo chegou se arrastando de muletas; das feridas em seus braços e seu rosto pingava um líquido amarelo. Havia mulheres velhas agachadas nas entradas de prédios úmidos e em ruínas. Aqui e ali, corpos estavam espalhados pelas calçadas, enquanto as pessoas simplesmente passavam por cima deles e continuavam andando. Lily não sabia dizer se eles estavam mortos ou apenas dormindo ao lado da rua. Ela observou enquanto uma menina se abaixou em uma sarjeta para se aliviar. Quando a menina se levantou, Lily viu que suas calças tinham uma fenda aberta atrás. Lily apertou a mão no rosto e cobriu a boca e o nariz, tentando evitar o cheiro avassalador de comida misturado com o de urina. Fumaça de dúzias de panelas de carrinhos de rua enchiam o ar e os pulmões de Lily. Ela tossiu e se esforçou para recuperar a respiração enquanto aumentava o aperto na mão do pai. Papai baixou o olhar para ela.

As ruas e becos de Hongkew eram escuros e sujos. Esse era um saindo da Avenida Yuhang Leste.

– Está tudo bem – ele disse. – Não tenha medo.

Lily abriu a boca para falar e, depois, fechou-a. Ela queria dizer que não estava assustada. Simplesmente não conseguia acreditar no que estava vendo. Aquele lugar ficava a mundos de distância de Frenchtown e, ainda assim, estava apenas do outro lado da Ponte Waibaidu e a poucos quilômetros de onde ela e a família viviam. "Como esses dois lugares podem ser tão próximos um do outro e, ainda assim, completamente diferentes? E como as pessoas podem viver aqui?"

Papai parecia saber o que estava fazendo. Ele manobrou a filha para um lado e para o outro, subindo e descendo vielas e cruzando ruas agitadas e cheias até chegarem a uma pequena rua. No final dela, papai parou e bateu em uma grande porta de madeira, fazendo barulho. Lily ouviu passos do outro lado e, depois, a porta foi aberta.

– Ah, *Herr* Toufar! Por favor, entre.

Uma mulher rechonchuda e baixa estava na entrada de um aposento escuro. Seu cabelo estava puxado em um grande coque redondo que ficava no topo da cabeça como um melão. Ela abriu bem os braços, puxou a porta para trás e fez um gesto para Lily e o pai entrarem.

– Vejo que trouxe a sua filha com você desta vez. Bem-vindos – a mulher exclamou.

– Lily, esta é a sra. Goldstein. Ela tem uma loja de roupas aqui em Hongkew. Eu trouxe para ela alguns dos materiais de que ela precisa.

Lily disse oi para a mulher e entrou na sala atrás do pai. Em segundos, papai e a sra. Goldstein estavam de cabeças juntas, conversando sobre os tecidos que ele levara. Lily olhou ao redor. Várias máquinas de costura, iguais à da mamãe, estavam enfileiradas contra a parede dos fundos. As máquinas zumbiam em uníssono enquanto mulheres chinesas, ocupadas com o trabalho, faziam calças e saias com pedaços de materiais que elas tinham juntado com alfinetes. Algumas mulheres olharam para Lily, os rostos sem expressão, e depois voltaram depressa ao trabalho.

Não havia janelas dentro da pequena sala. A única luz brilhava de uma única lâmpada sem lustre pendurada no teto e de um pequeno abajur de chão em um canto, que balançava de um lado para outro conforme as mulheres apertavam os pedais das suas máquinas de costura. Pedacinhos de poeira e linha subiram para o nariz de Lily e ela espirrou e esfregou os olhos conforme eles se ajustavam à luz fraca.

Foi apenas nesse momento que Lily percebeu o menino e a menina chineses sentados juntos em uma caixa de madeira em outro canto da sala. Eles eram jovens; o menino talvez tivesse cinco anos de idade e a menina, não mais que quatro. Suas roupas estavam sujas e rasgadas e eles não tinham sapatos nos pés. Os dois tinham cabelos longos muito pretos. Lily ficou especialmente impressionada com o menininho. Seu cabelo quase chegava à cintura e estava preso em um rabo de cavalo com um elástico. Tio Willi certa vez dissera a ela que era costume os meninos chineses deixarem o cabelo crescer bastante para protegê-los do demônio que procurava menininhos.

Se o cabelo de uma criança era longo, o demônio poderia achar que era uma menina e não levá-lo.

Uma das costureiras levantou o olhar para Lily de novo, encontrando seus olhos e fazendo um gesto em direção às crianças. Lily entendeu imediatamente que aquelas crianças eram dela. "Ela deve tê-las trazido para o trabalho", Lily pensou, "assim como eu costumava ir com a mamãe para o convento quando chegamos a Xangai". Lily sorriu, deu um aceno de cabeça para a mulher e, depois, sorriu para as crianças. Elas baixaram os olhos.

Papai ainda estava ocupado com a sra. Goldstein. Lily aproximou-se do irmão e da irmã e inclinou-se na frente deles. A menininha agarrou o braço do irmão e se retraiu. "Ah, seria bom se pudéssemos conversar", Lily pensou. "Seria muito mais fácil". Ela respirou fundo, estendeu a mão e disse:

– Olá.

Segundos se passaram. A mão de Lily continuou ali, suspensa no espaço aberto entre ela e as crianças. Depois, devagar e com hesitação, a menininha estendeu a mão para Lily.

– *Ni hao* – ela respondeu.

E as duas se cumprimentaram.

– Lily, está na hora de irmos.

Papai tinha terminado os negócios com a sra. Goldstein e estava com a porta aberta na entrada da pequena sala. Lily colocou a mão dentro do bolso da malha e tirou as maçãs e os biscoitos que a mãe colocara neles. Estendeu-os para as crianças. Elas hesitaram no início, olhando para a mãe, que resmungou algo na direção delas. Depois, pegaram a comida e logo começaram a devorá-la, alternando entre mordidas grandes na maçã e outras mordidas de biscoito.

– *Xie, xie* – eles murmuraram em uníssono.

Suco de maçã pontilhado de migalhas escorreu dos rostos deles para as camisas.

Lily sorriu de novo, levantou-se e saiu da loja com o pai. No começo, eles ficaram quietos no caminho de volta para Frenchtown. Lily foi a primeira a quebrar o silêncio.

– Aquela senhora, a sra. Goldstein, mora ali?

Papai fez que sim com a cabeça.

– Existem algumas famílias judias que moram em Hongkew.

– Ela parece muito pobre – Lily continuou, escolhendo as palavras com cuidado.

– Tivemos sorte de podermos trazer dinheiro conosco de Viena – papai respondeu. – Essas famílias judias têm tão pouco. Esta é a única área onde conseguem viver.

– E as famílias chinesas? – Lily perguntou.

– Elas têm ainda menos. É uma vida difícil para qualquer um que tem que morar em Hongkew – papai disse.

Lily parou, pensativa.

– Estava tão sujo ali, papai. E aquelas crianças pareciam famintas.

– É importante você ver este lugar, Lily... Saber que outras pessoas não têm tanta sorte como nós.

Lily fez que sim com a cabeça. Seus pais sempre tinham falado do quanto tinham sorte por estarem ali em Xangai, embora tivessem tido que abrir mão de sua casa em Viena para chegar lá. Às vezes, Lily reclamava do quão pequeno era o apartamento deles em Frenchtown e quão frio ele ficava no inverno. "Isso não é nada comparado com como deve ser em Hongkew", Lily pensou. Ela jurou que tentaria ser mais grata pelas coisas que tinha. Lily agarrou a mão do pai de novo enquanto eles cruzavam a Ponte Waibaidu. Foi um alívio ver o Bund a distância e deixar Hongkew bem para trás.

18 de fevereiro de 1943

Foi vários meses depois de sua visita a Hongkew que a vida de Lily mudou de novo, de maneiras que ela nunca poderia ter imaginado.

Susie estava na casa dela naquele dia e as duas meninas estavam brincando na mesa no centro do apartamento. Elas tinham de cortar imagens de papel e colá-las em caixas de sapatos vazias que papai lhes dera para fazerem pequenos teatros. Lily pintou e coloriu as dela e cortou pequenos buracos nos lados para criar janelas por onde espiar. Ela havia pintado uma mulher em um palco na caixa, cantando para uma grande plateia sem rosto. O cenário se parecia com o palco do Eastern Theater aonde Lily e o pai tinham ido para ver a ópera *Carmen* semanas antes. Lá em Xangai, a comunidade judaica havia criado um próspero mundo de teatro, música e poesia. Muitos atores e atrizes famosos que também haviam fugido da Áustria e da Alemanha continuavam a se apresentar nos palcos de clubes e teatros de Xangai, alguns na cafeteria que pertencia a Stella e Walter. Os refugiados judeus iam aos montes para vê-los.

Papai amava óperas e tinha ficado animado de levar Lily para ver essa, sobre um soldado que se apaixona por uma mulher chamada Carmen e, depois, perde-a para um famoso toureiro. Lily, por outro lado, não havia entendido uma palavra do que estava sendo cantado e não gostou de nenhum minuto da apresentação.

– Além disso – ela dissera para o pai depois –, aquela mulher que fez o papel de Carmen era feia e velha!

Papai tinha dado risada, murmurando as músicas que haviam acabado de ouvir e fingindo conduzir uma orquestra fantasma. Lily não conseguia entender o que papai via naquilo tudo. Ela tentara explicar para Susie, o que levou à construção daquela cena na pequena caixa de sapato.

Lily adorava ter a Susie no seu apartamento para brincar depois da escola, mas gostava de visitar a casa dela ainda mais. A família da Susie era considerada rica. O apartamento deles tinha vários aposentos, diferente do apartamento de um só de Lily. Havia um grande pátio em frente ao prédio de Susie, onde as meninas podiam brincar. Alguém do prédio até tinha carro, o que era praticamente inexistente entre os moradores judeus de Xangai. Porém, o melhor de tudo, o apartamento de Susie tinha uma banheira. O único local para banho no prédio de Lily ficava no corredor, em um lavatório que sua família dividia com os vizinhos. Houve muitos dias quentes em que as duas meninas colocaram roupas de banho, encheram a banheira da casa de Susie com água fria e afundaram até os pescoços, fingindo estarem em uma piscina.

Lily estava cantando a plenos pulmões, fingindo ser a diva da ópera *Carmen*. Susie estava com as mãos sobre as orelhas, implorando para que ela parasse. Nesse momento, papai entrou e se sentou pesado ao lado das meninas. "Está cedo para o papai estar em casa", Lily pensou, ansiosa para mostrar a ele sua obra de arte. Porém, uma olhada no rosto dele foi suficiente para levar a brincadeira delas a uma parada brusca. Papai estava branco, mais pálido do que no dia em que o rádio cuspira as notícias sobre o bombardeio de Pearl Harbor, ou a noite em que eles fugiram de Viena. E, assim como fizera naquelas ocasiões, ele tirou um lenço do bolso e limpou a testa com uma mão trêmula. Naquele momento, mamãe entrou no apartamento.

– Fritz, qual é o problema? – ela gritou.

Papai não conseguia responder. Nas suas mãos, ele segurava um dos jornais judaicos que era publicado em Xangai. Ele encarou as manchetes por um momento, fazendo que não com a cabeça como se não pudesse acreditar no que estava escrito e, depois, baixou o jornal na mesa à sua frente. Mamãe, Lily e Susie o espiaram.

> *... Refugiados sem cidadania serão restritos a uma área... em Hongkew... Todos os residentes sem cidadania que residam fora do limite mencionado devem levar seus negócios e/ou residência*

para dentro da área citada acima até 18 de maio de 1943. Qualquer pessoa que viole essa proclamação e interfira no seu cumprimento será passível de punição severa...[2]

O pronunciamento estava assinado pelo general Yasugi Okamura. Olhando mais de perto, Lily leu o título dele em voz baixa: "Comandante-chefe do Exército Imperial Japonês". Porém, a mensagem não fazia sentido para ela. Quem eram os "refugiados sem cidadania"? Por que estavam sendo mandados para morar em Hongkew, aquele lugar horrível que ela visitara com papai? E o que aquilo tinha a ver com ela ou seus pais? Tudo o que ela sabia era que papai estava chateado, e mamãe parecia tão perturbada quanto ele enquanto lia as manchetes e, depois, levantava o olhar para o marido.

– Não diz a palavra judeus em nenhum lugar aqui – mamãe disse, apontando para o jornal.

Papai fez que não com a cabeça.

– Não há dúvida de para quem essa proclamação é direcionada, Erna. Nós somos os refugiados sem cidadania. Todas as famílias judias que chegaram a Xangai após 1937 estão recebendo ordens para se mudarem para Hongkew.

– É igual a quando Hitler chegou ao poder – mamãe sussurrou.

Lily e todos os refugiados judeus de Xangai perguntavam-se onde conseguiriam encontrar um lugar seguro para viver. Esse desenho apareceu no jornal *Shanghai Evening Post.*

---

[2] Ross, James R., *Escape to Shanghai: A Jewish Community in China*, The Free Press, New York, 1994, p. 175.

RESIDENCES, BUSINESSES OF CITY'S STATELESS REFUGEES LIMITED TO DEFINED SECTO

3

Measure Effective From May 18th Is Due To Military Necessity

ONLY THOSE ARRIVING SINCE 1937 AFFECTED

The Imperial Japanese Army and Navy authorities in a joint proclamation issued today, announced the restriction of residences and places of business of stateless refugees in Shanghai to a designated area comprising sections of the Wayside and Yangtzepoo districts as from May 18. By stateless refugees are meant those European refugees who have arrived in Shanghai since 1937.

The designated area is bordered on the west by the line connecting Chaoufoong, Muirhead and Dent Roads; on the east by Yangtzepoo Creek; on the south by the line connecting East Seward, Muirhead and Wayside Roads, and on the north by the boundary of the International Settlement.

The statement of The Imperial Japanese Army and Navy authorities issued yesterday in connection with the proclamation follows:

"The Proclamation issued today by the Commanders-in-Chief of the Imperial Japanese Army and Navy in the Shanghai area hereafter restricts the residence and business of the local stateless refugees within a limited area.

"This measure is motivated by military necessity, and is, therefore, not an arbitrary action intended to oppress their legitimate occupation. It is even contemplated to safeguard so far as possible their place of residence as well as their livelihood in the designated area. Therefore, the stateless refugees to whom this Proclamation applies must, as a matter of course, comply with it, while the public at large is also requested to comprehend its significance and to offer positive cooperation in the execution of the above measures.

PROCLAMATION

Concerning Restriction Of Residence and Business of Stateless Refugees

(I) Due to military necessity places of residence and business of the stateless refugees in the Shanghai area shall hereafter be restricted to the undermentioned area in the International Settlement.

East of the line connecting Chaoufoong Road, Muirhead Road and Dent Road;

West of Yangtzepoo Creek;

North of the line connecting East Seward Road, Muirhead Road and Wayside Road; and

South of the boundary of the International Settlement.

(II) The stateless refugees at present residing and/or carrying on business in the districts other than the above area shall remove their places of residence and/or business into the area designated above by May 18, 1943.

Permission must be obtained from the Japanese authorities for the transfer, sale, purchase or lease of the rooms, houses, shops or any other establishments, which are situated outside the designated area and now being occupied or used by the stateless refugees.

(III) Persons other than the stateless refugees shall not remove into the area mentioned in Article I without permission of the Japanese authorities.

(IV) Persons who will have violated this Proclamation or obstructed its enforcement shall be liable to severe punishment.

Commander-in-Chief of the Imperial Japanese Army in the Shanghai Area.

Commander-in-Chief of the Imperial Japanese Navy in the Shanghai Area.

February 18, 1943.

Japanese Urged To Help In Changing Residences With Stateless Refugee

The local Japanese community is requested to understand fully the significance of the proclamation issued today by the Commanders-in-Chief of the Imperial Japanese Army and Navy regarding designated residences for stateless refugees, and render co-operation with the authorities concerned for enforcement of these measures, according to a statement issued by a spokesman of the Japanese Consulate-General released

Regarding Article III of the Proclamation in which it is stated persons other than stateless

Em 1943, os jornais noticiaram que refugiados judeus deveriam se mudar para o gueto de Hongkew.

– Fomos tolos em pensar que estávamos seguros aqui – papai respondeu. – Os judeus não estão seguros em nenhum lugar do mundo.

Nesse momento, seus pais olharam ao redor, percebendo que Susie e Lily estavam à mesa, ouvindo e observando a conversa deles, seus olhos se arregalando com cada palavra dita.

– Vá para casa, Susie – papai disse. – Vá para a sua família. Tenho certeza de que seus pais vão querer falar com você sobre isso.

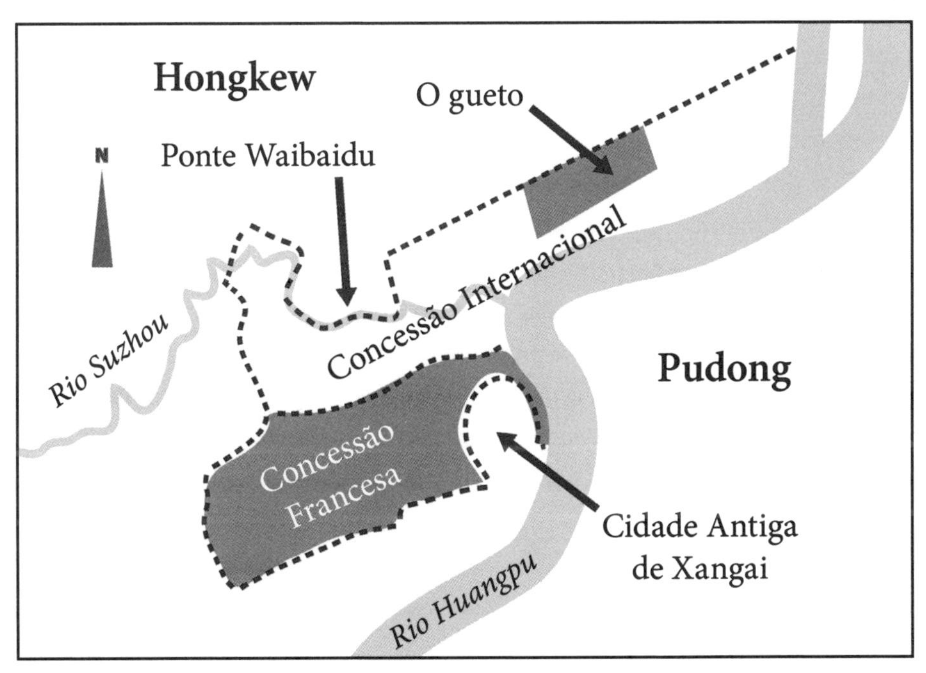

Xangai durante a Segunda Guerra Mundial: a Concessão Francesa era separada de Hongkew pela Ponte Waibaidu.

Em silêncio, Susie levantou-se da mesa. Ela deu um abraço rápido em Lily antes de sair em disparada pela porta. Lily não havia se mexido. Seu teatro de papelão ainda estava em suas mãos e, agora, ela o tinha deixado cair na mesa e tinha se inclinado em direção aos pais, confusa e questionadora.

– Eu não entendo... – ela começou a dizer.

Papai agarrou a mão de Lily e levou seu rosto para perto do dela.

– Vamos nos mudar, Lily – ele disse com a voz rouca. – Não tão longe desta vez, minha querida. Mas teremos que embalar nossas coisas e sair deste apartamento.

Mamãe engoliu algumas lágrimas e cobriu a boca com a mão. Lily não entendia o que tudo aquilo significava.

– Por que temos que nos mudar, papai? Não fizemos nada.

No fundo da sua mente, havia uma memória embaçada de uma conversa parecida que ela certa vez tivera em Viena com a mãe.

– Lembra-se de que conversamos sobre a Alemanha e o Japão serem amigos? – papai explicou, escolhendo as palavras com cuidado. – Essas ordens para os judeus se mudarem provavelmente vêm da Alemanha... De Hitler.

Lily fez que não com a cabeça.

– Mas por que o exército japonês está seguindo as ordens de Hitler? Não estamos na Alemanha.

Papai encostou-se para trás na cadeira e olhou para a esposa.

– O Japão só está sendo cuidadoso, sem querer fazer nada para chatear os nazistas da Europa. Mas não se preocupe – ele acrescentou, depressa, vendo o olhar de desespero no rosto de Lily. – Todos nós vamos para lá juntos, Stella, Walter, Nini, Poldi e Willi. O que eu sempre digo a você?

– Desde que a família esteja unida, tudo vai ficar bem – Lily respondeu, repetindo o mantra de papai, mas encontrando pouco conforto nas palavras.

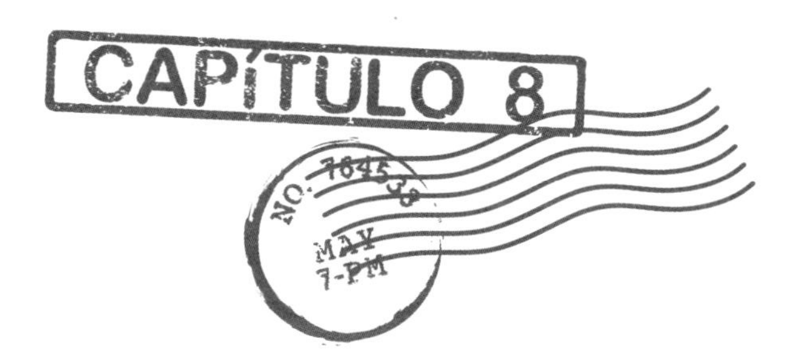

Lily não conseguiu dormir naquela noite, enquanto sua mente estava acelerada com pensamentos sobre a recente reviravolta na situação. Ainda não fazia sentido para ela que as famílias judias fossem obrigadas a deixar suas casas e se mudar para outra parte de Xangai. Por que ser judeu era um problema tão grande? Embora sua família não seguisse a religião tão bem, Lily adorava ser judia. Ela ficava ansiosa pelas festividades que sua família comemorava. Ela até gostava de ir à sinagoga com os pais e ouvir as orações que o rabino recitava. Por que aquela religião que ela amava estava lhe causando tanto problema? Isso ela nunca entenderia.

E havia Hongkew: aquele lugar horrível que visitara com o pai. Ela só conseguia pensar nas duas criancinhas que conhecera lá e quão famintas elas estavam. Hongkew era uma terra perdida, uma parte de Xangai que parecia ter sido jogada fora e esquecida. Lily não conseguia imaginar como alguém sobrevivia naquele lugar.

Ela puxou as cobertas para mais perto do queixo e olhou fixo para a escuridão, tentando pensar com clareza. "Talvez essa mudança não seja tão ruim, disse para si mesma. Afinal, nós já nos mudamos antes. Pode levar um tempo para nos ajustarmos, mas conseguimos fazer isso." Ir para Xangai havia funcionado bem, até então. O apartamento deles era muito menor do que sua casa em Viena, mas isso não incomodava muito Lily. Ela tinha a família ali e a melhor amiga.

Então, por que ela tinha aquele medo invasivo e incômodo que não ia embora? Por que ela tinha um nó no estômago? E por que o corpo dela estava tremendo mesmo naquele momento, quando ela estava deitada na cama desejando que o sono a levasse para longe de todos aqueles pensamentos e preocupações? Talvez fosse outra coisa, algo que os pais não estavam contando para ela. As palavras que eles haviam dito tinham parecido tranquilizadoras – estaremos seguros; nossa família estará unida –, mas os rostos deles contavam outra história.

Enquanto Lily esperava, ansiando para que o sono viesse buscá-la, ela ouviu os pais sussurrando, como costumavam fazer na sua cama do outro lado da sala. Em geral, a conversa baixa deles ajudava a embalar Lily para dormir. Porém, quando ouviu seu nome na escuridão, ela congelou, todos os músculos do seu corpo estavam alertas enquanto ela se esforçava para ouvir o que mamãe e papai estavam dizendo.

– Não pude contar a Lily tudo o que ouvi – papai começou a dizer. – Não queria assustá-la mais do que o necessário.

Ele parou ali, a respiração superficial enquanto se esforçava para encontrar as palavras para continuar.

– O artigo do jornal dizia que um coronel nazista veio para cá da Alemanha. Joseph Meisinger é o nome dele. É chamado de "o Açougueiro de Varsóvia". Só posso imaginar como ele ganhou tal nome. Dizem que ele está aqui para lidar com os judeus que conseguiram fugir das mãos dos nazistas na Europa. Ele está nos chamando de "aqueles que escaparam". Parece que Meisinger está por trás dessa ordem para que nós nos mudemos para o gueto.

Era a primeira vez que o pai usava aquela palavra – gueto – para descrever Hongkew. A caixa embaixo da cama de mamãe estava cheia de cartas que descreviam os lugares horríveis para onde seus parentes haviam sido mandados na Europa. Era aquilo que iria acontecer com Lily e os pais? Os judeus de Xangai seriam aprisionados? Hongkew se tornaria o gueto deles?

– Pode começar assim, mas o que virá depois? – mamãe estava sussurrando agora. – Ouvimos falar dos campos de concentração na Europa. Judeus estão desaparecendo para lugares de onde nunca mais ninguém tem notícias deles. Esse vai ser o nosso destino também, depois de termos chegado tão longe de Viena?

A memória de uma conversa antiga apareceu na mente de Lily. Qual era a palavra que mamãe usara quando falou dos membros da família que estavam sendo mandados para longe? *Realocados*. Era isso! Agora, sua mente estava agitada por um novo medo. Já era difícil o bastante imaginar um gueto, um lugar de onde você não podia entrar e sair quando quisesse e onde as condições eram horríveis. No entanto, pelo que Lily sabia dos campos de concentração, aqueles lugares eram horrendos. Foi tio Willi quem contou a Lily que os judeus europeus estavam sendo torturados e até mortos nesses lugares. Seus parentes tinham sido realocados para lugares assim? E era isso o que aconteceria com ela e os pais? Lily começou a tremer de novo, um tremor lento que se movia pelo seu corpo, indo pelos braços e descendo pelas pernas até os pés.

– Acho que seria melhor a Lily não vir conosco – papai enfim disse.

"O que era aquilo?" Lily devia ter entendido mal aqueles novos sussurros que vieram do lado dos pais do quarto. Para qual outro lugar ela iria, se não com os pais? Lily se esforçou para escutar o que o pai estava dizendo.

– A reverenda Lawler se ofereceu para levar a Lily para a Casa dos Missionários e criá-la lá. Acho que pode ser uma alternativa melhor do que ela ir conosco. Não sabemos o que vai acontecer em Hongkew. Pelo menos sabemos que ela vai estar a salvo com os missionários.

Para Lily, já bastava. Ela pulou da cama e, em dois passos, estava ao lado dos pais, tremendo com um novo terror ao confrontá-los.

– O que você está dizendo, papai? Como pode pensar em me deixar para trás?

Nenhum dos seus pais se mexeu ou falou uma palavra.

– Mamãe, diga alguma coisa! Eu não vou a lugar nenhum sem vocês. Vocês não podem me deixar aqui.

Ainda assim, seus pais não disseram nada.

– Se vocês me amam de verdade, não vão me deixar aqui!

Lily jogou essas acusações nos pais.

– Vocês não se importam com o que acontece comigo? Não se importam se eu ficar sozinha?

Ela continuou reclamando e gritando, acusando os pais de abandoná-la, de serem egoístas, de só pensarem em si mesmos. As lágrimas estavam escorrendo pelas bochechas de Lily enquanto ela apertava os braços em volta do seu pequeno corpo e ficava em pé ali, tremendo e indefesa ao lado da cama dos pais.

Por fim, papai levantou-se e envolveu-a com os braços.

– Xiu, calma, calma – ele sussurrou. – Acalme-se, minha querida criança. Pare de tremer.

Lily não podia ser acalmada.

– Eu não vou para a Casa dos Missionários. Não vou a lugar nenhum sem vocês. Vocês não podem me mandar embora, papai – ela continuou. – Você disse que a família ficaria unida.

Lily estava apavorada com a ideia de ir para Hongkew – aquele gueto – ou talvez algo pior. Porém, por mais assustador que Hongkew fosse para ela, era ainda mais aterrorizante imaginar ser deixada para trás. Aquilo era simplesmente impensável.

– Só estamos tentando fazer o que é melhor para você, Lily.

Mamãe se juntou a eles fora da cama. Os três ficaram em um abraço apertado no frio e na escuridão do apartamento.

– Então, deixem que eu fique com vocês – implorou Lily. – É o que é melhor. Não me importo com o que aconteça em Hongkew. Vou fazer qualquer coisa para ficar com vocês. Não me mandem embora.

Houve uma longa pausa. Lily não sabia o que faria se não conseguisse convencer os pais a levarem-na com eles para o gueto. Ela nunca ficaria com a reverenda Lawler; isso estava claro. Por mais gentis que os missionários fossem, eles não eram sua família. Ela fugiria da Casa dos Missionários. Desobedeceria todas as regras. Recusar-se-ia a comer. Encontraria uma forma de voltar para os pais, não importava o que acontecesse.

Embora estivesse escuro, Lily conseguia sentir mamãe e papai se encarando acima da sua cabeça, agonizando com aquela escolha insuportável. Durante esse tempo todo, Lily se agarrou aos dois, rezando para que mudassem sua decisão e a mantivessem com eles. Por fim, seu pai puxou o fôlego mais uma vez, e ela fechou os olhos.

– Certo, Lily – papai declarou, esforçando-se para falar. – Você vai ficar conosco... Com mamãe e eu e o resto da família. Vamos morar em Hongkew, juntos.

Lily não estava muito convencida.

– Prometa para mim, papai. Diga – ela mandou.

Seus pais se inclinaram na escuridão para que seus rostos ficassem perto do dela. Lily conseguia enxergar as rugas de preocupação riscadas na testa de papai e as lágrimas que escorriam pelo rosto de mamãe e ela prendeu a respiração mais uma vez. E, depois, em uníssono, eles responderam:

– Nós prometemos.

Março de 1943

Lily mal tinha se acostumado com o anúncio de que sua família mudaria para Hongkew quando, algumas semanas depois, Willi entrou depressa pelo apartamento deles no começo da manhã. Quase nem fez um aceno para Lily e começou a andar de um lado para o outro no pequeno aposento.

– Os nazistas chegaram. Houve um desfile ontem no Bund. Dúzias, talvez centenas de soldados marcharam pela rua... Como se fossem donos dela! Balançando seus rifles, batendo as botas no chão, exibindo os uniformes!

Willi estava falando tão rápido que Lily teve dificuldade para entender todas as palavras. No entanto, as que ouviu eram apavorantes.

– Nazistas! Em Xangai!

A mão de mamãe voou para sua garganta enquanto ela afundava em uma cadeira.

– É o Meisinger – disse papai. – Aquele que eu disse a você que estava aqui. Depois do Hitler, ele é um dos comandantes mais importantes. Deve estar por trás dessa demonstração.

– Essa foi apenas uma unidade. Quem sabe quantas mais estão vindo?

Willi ainda estava andando de um lado para o outro, a cabeça baixa, as mãos fechadas ao lado do corpo.

– Fritz, o que está acontecendo? – mamãe mal guinchou as palavras.

– Você os viu, Willi? Você realmente viu os nazistas? Como eles eram?

Ao som da voz de Lily, Willi parou de repente. Ele levantou o olhar, assustado, como se tivesse esquecido que ela estava ali. Depois, olhou para os pais dela antes de responder.

– Eu não estava no desfile – ele disse, com cuidado. – Nini e Poldi me contaram.

– Mas o que eles estão fazendo aqui?

Lily de repente sentiu frio. Seus dentes estavam batendo e suas mãos pareciam adormecidas. A mudança iminente para Hongkew era tudo em que ela pensara nas semanas anteriores. Era assustador o bastante. Mas aquela conversa sobre nazistas em Xangai era mais do que ela conseguia imaginar. E Willi não parecia a estar provocando com histórias aterrorizantes. Pela expressão no rosto dele, Lily sabia que, daquela vez, o que ele dizia era verdade.

– São apenas rumores agora – disse Willi, mais devagar dessa vez. – Algumas pessoas dizem que os nazistas estão planejando dominar Xangai.

– Não basta nos mudar para um gueto. Agora, Hitler está vindo atrás de nós – mamãe disse.

– Ninguém sabe de verdade por que os nazistas vieram, Lily.

Dessa vez, era papai quem estava falando.

– Como Willi disse... tudo rumores.

– Mas eles poderiam fazer isso, papai? Eles poderiam dominar Xangai?

Com isso, Willi interveio de novo.

– A questão é a seguinte – ele falou. – Os japoneses não vão deixar esses nazistas se safarem dessa. Poldi me disse que, quando a tropa nazista estava no Bund, um grupo de soldados japoneses chegou a cercá-la e fazer com que fosse embora marchando. Os japoneses não vão entregar Xangai tão depressa... Nem para o Hitler.

Papai andou na direção de Lily e tocou no seu rosto. Sua mão estava quente contra a bochecha gelada dela.

– Está vendo, minha querida? Xangai ainda é segura. Nós todos ainda estamos seguros.

– Preciso ir trabalhar – disse Willi, andando em direção à porta. – Trarei mais notícias depois, se eu puder.

Com isso, ele saiu. Lily o seguiu pouco depois. Ela precisava falar com Susie. Mas não teve uma chance de ter uma conversa de verdade com a amiga antes de mais dias se passarem. Naquela tarde, as duas meninas sentaram-se na varanda em frente ao prédio do apartamento de Susie. Estava chegando o final de março e a ferroada dura do inverno estava começando a diminuir. Ventos mais quentes haviam chegado, como se estivessem tentando empurrar o ar frio para fora o mais rápido possível. O casaco de inverno de Lily fora trocado por um mais leve que ela tinha abotoado só até a metade.

Susie já sabia sobre o desfile nazista no Bund.

– Acho que a mudança para Hongkew não está preocupando tanto meus pais quanto a história de os soldados de Hitler estarem aqui – ela disse.

Lily fez que sim com a cabeça. Willi havia voltado ao apartamento dela várias outras vezes com notícias sobre a possibilidade de os nazistas dominarem Xangai.

– Willi disse que estão falando em colocar os refugiados judeus em navios cargueiros e nos mandar para ficar à deriva pelo Rio Yangtze... Simplesmente nos deixar para morrer de fome lá.

Ela estremeceu.

– Eu sei – respondeu Susie. – Meu pai ouviu que os nazistas prometeram ao exército japonês que eles poderiam pegar todas as nossas posses se se livrassem de nós.

"Que posses? A máquina de costura da mamãe?" A maioria das coisas de valor que a família de Lily tinha fora deixada para trás em Viena. O mesmo havia acontecido com a maioria das famílias judias. Aquilo parecia ridículo. Lily não sabia no que mais acreditar.

– Meu papai disse que o exército japonês nunca vai colaborar com Hitler. Os dois querem ser o mais forte. Mas por quanto tempo os japoneses conseguem impedir os nazistas e dizer não?

– Talvez nos mandar para Hongkew seja o suficiente. Pelo menos, por ora...

O resto do pensamento de Susie não foi dito. Sua voz sumiu e as duas meninas ficaram sentadas em silêncio.

Lily foi a primeira a quebrar o silêncio.

– Quando eu pergunto aos meus pais sobre o quanto disso é verdade, eles falam que nada vai acontecer. Mas eles só estão dizendo isso para eu não ficar assustada.

– Todos os adultos dizem uma coisa quando acham que as crianças não estão ouvindo e, depois, dizem outra coisa assim que fazemos uma pergunta para eles.

– Susie, o que você acha de se mudar para o gueto? Você está com medo?

Em todos os postes da rua, havia avisos declarando que os "refugiados sem cidadania" de Xangai deveriam ir para Hongkew. Não importava para onde Lily olhava, havia um lembrete da mudança iminente, como se precisassem de um! Era tudo de que as pessoas falavam naqueles dias.

– Um pouco – respondeu Susie.

– Eu também!

Lily contara a Susie tudo sobre sua visita a Hongkew com o pai.

– Quando eu contei para você como aquele lugar era horrível, nunca achei que fôssemos mesmo ter que morar lá.

– Nem eu.

Como era possível que Xangai, a cidade que certa vez salvara a família de Lily, estivesse começando a parecer território inimigo? Lily não queria pensar em guetos ou na possibilidade de soldados nazistas virem atrás deles. Ela não queria pensar em ser mandada para ficar à deriva e morrer de fome no meio do nada. Ela não queria pensar em nada daquilo.

– Acha que vamos morar perto uma da outra em Hongkew? – a pergunta de Susie invadiu o silêncio de Lily.

Lily abriu um sorriso fraco.

– É bom que a gente more!

Susie devolveu o sorriso.

– Talvez meus pais possam falar com os seus e ver se é possível.

– Claro – Lily respondeu sem confiar muito.

Por mais que ela ansiasse por ficar perto da melhor amiga em Hongkew, ela sabia que aquilo seria a última coisa na cabeça do papai, enquanto ele estivesse tentando encontrar um lugar para a família viver.

CAPÍTULO 10

Papai começou a procurar um apartamento em Hongkew no dia seguinte mesmo, enquanto Lily e a mãe ficaram em casa para empacotar os pertences deles. Embora os judeus de Xangai tivessem recebido três meses para fazerem a mudança, papai achou melhor encontrarem um lugar o mais rápido possível.

– Pensem nisto – ele disse. – Milhares de pessoas vão procurar um lugar para morar. Hongkew já está lotado de cidadãos chineses. Quanto antes encontrarmos um apartamento, melhor.

Todos os dias, durante semanas, ele saiu de casa ainda mais cedo do que o normal para ir procurar um lugar. E, todos os dias, ele voltava, os ombros caídos e fazendo que não com a cabeça. Parecia que muitas outras famílias judias também haviam começado sua busca por um novo apartamento em Hongkew.

– É mais difícil do que eu achei que seria – ele disse. – Vocês não acreditam como alguns dos lugares são horríveis. E minúsculos. Alguns não são grandes o suficiente para as bonecas de Lily, imaginem uma família de três pessoas. Neste momento, parece impossível.

A voz dele sumiu no silêncio.

Lily já vira o quão escuro e pequeno um aposento podia ser em Hongkew. Aquele era o tipo de apartamento que estava reservado para eles?

– Um banheiro – mamãe suplicou. – Não estou pedindo muito e nós não precisamos de muito espaço. Mas, por favor, tente encontrar um lugar que tenha um banheiro adequado.

Lily sabia que a alternativa ao banheiro adequado que mamãe queria era um banheiro com baldes que a maioria dos chineses e muitas das famílias judias tinham. Todas as manhãs, *coolies* entravam nas casas e levavam esses baldes comunais para a rua, cheios e derramando pelos lados. Eles os esvaziavam em grandes carrinhos que puxavam pelas vias. Os carrinhos eram chamados de carrinhos de mel, o que sempre fazia Lily rir. "É um nome tão bonito para uma coisa tão nojenta", ela dizia. Líquido marrom caía desses carrinhos e o fedor que os seguia poderia fazer pessoas fortes engasgarem. Lily não queria reclamar ou pedir coisas aos pais, que já pareciam tão preocupados, mas, como a mãe, ela também esperava por um banheiro decente.

As tias e os tios de Lily também estavam procurando lugares para morar em Hongkew. E, como Lily e os pais, estavam tendo dificuldades. Eles compartilhavam suas histórias muitas noites, quando se reuniam em volta da mesa no apartamento de Lily.

– Estão pedindo uma fortuna em um buraco na parede infestado de ratos. É um crime – tia Nini resmungou certa noite, ecoando os sentimentos de todos da sala. – Vimos uma casa onde o reboco está se despedaçando e o teto tem tantos buracos que nem precisaria estar lá! E o pior, já há vinte famílias morando lá, em um espaço para apenas duas ou três!

Poldi ficou sentado, quieto, à mesa. Naqueles dias, ele parecia perturbado por tudo o que estava acontecendo. Não apenas tia Nini e tio Poldi seriam forçados a saírem da sua casa, mas também receberam ordens para abandonar seus negócios. Como todos os estabelecimentos judeus da Concessão Francesa, o clube deles logo estaria sob administração japonesa.

– Vou procurar trabalho em Hongkew depois de encontrarmos um lugar para morar – papai disse.

Mamãe esperava poder continuar trabalhando no convento.

Tia Stella e tio Walter eram donos de uma cafeteria em Frenchtown chamada Café de Paris. À noite, ela apresentava entretenimento ao vivo.

– Não sei sob quais restrições teremos que viver – ela falou –, mas, talvez, se eu mostrar para as autoridades que tenho um emprego bom e estável ali, vão me deixar sair do gueto todo dia.

Como Nini e Poldi, tia Stella e tio Walter também estavam sendo forçados a fecharem sua cafeteria. Eles estavam procurando um apartamento em Hongkew para também abrigar Willi. Ele parecia preocupado com a reviravolta nos acontecimentos. Suas provocações e brincadeiras normais com Lily tinham parado. Ela se perguntava o que era pior: ter Willi bombardeando-a com suas histórias de terror ou vê-lo se retrair em silêncio.

Aquelas reuniões à noite continuaram por várias semanas até papai entrar no apartamento certa noite com a notícia de que encontrara um lugar.

– Acho que temos mais sorte do que a maioria – ele disse, sentado de frente para a esposa e a filha à mesa.

Lily agora estava sendo totalmente incluída nas conversas deles. As discussões aos sussurros tarde da noite tinham parado. Ela tinha dez anos e não era mais a criancinha que era quando a família chegara a Xangai. Estava crescendo rápido, talvez mais rápido do que qualquer jovem deveria crescer. Seus pais enfim haviam decidido que ela podia fazer parte dos debates e decisões deles. Ela se sentou ereta na cadeira e se inclinou para frente, esperando para ouvir a notícia sobre onde iriam morar.

– Há uma antiga escola de ginásio chinesa em Hongkew que agora está sendo administrada por um grupo que tenta ajudar famílias judias a encontrar abrigo no gueto.

Papai soletrou as iniciais da organização: S.A.C.R.A.

– Significa Associação de Resgate Colaborativo Asquenaze de Xangai – ele disse. – A escola não é usada há algum tempo e, assim, as salas de aula foram transformadas em apartamentos. Cada centímetro de espaço é necessário agora que tantos judeus vão lotar aquela parte da cidade.

– Qual o tamanho? – sussurrou mamãe.

– Minúsculo!

Papai encolheu os ombros.

– É só um aposento e é menor do que este.

Ele fez um gesto para o apartamento deles.

– Mas é todo nosso. Isso é uma boa coisa.

Lily não conseguia imaginar morar com os pais em uma sala que era ainda menor do que aquele espaço apertado. Mas ela não falou nada. Depois de convencer os pais a levarem-na com eles para o gueto, jurara não reclamar de coisa alguma.

– Está à venda por uma fortuna – papai continuou.

– Todas as nossas economias? – mamãe murmurou essas palavras e papai fez que sim.

– Vai custar quase tudo o que temos para comprar o apartamento. Mas, pelo menos, temos um lugar.

– E...?

Mamãe inclinou-se para frente, seus olhos implorando por uma resposta para a única pergunta que ela ainda tinha.

Papai enfim permitiu que um pequeno sorriso cruzasse seu rosto. Ele colocou as mãos sobre as dela, tranquilizador.

– Um banheiro de verdade com descarga, Erna – ele disse. – Conseguimos uma consideração especial porque temos uma criança. Esses apartamentos são reservados para famílias.

Mamãe bateu as mãos e levantou correndo da mesa para dar um abraço rápido no marido.

Lily finalmente falou:

– Estão vendo? – ela perguntou. – Eu sabia que havia outro motivo para vocês me levarem para Hongkew. Podem me agradecer pelo banheiro!

Os três enfim caíram em uma gargalhada bem-vinda.

A família não tinha ideia do que iria enfrentar em Hongkew e, ainda assim, a notícia sobre o banheiro com descarga tinha lhes dado uma sensação de prazer. “É incrível como algo tão pequeno pode ser tão importante”, pensou Lily.

– E tem mais, Lily – papai falou, olhando para a filha. – Você vai para a escola no gueto, mas, desta vez, vai ser uma escola judaica. Não é longe do nosso novo apartamento.

– A Susie vai estar lá?

A ideia de uma escola judaica era algo novo e interessante.

Papai fez que sim.

– Sim, e espero que você também faça novos amigos.

Lily encostou-se para trás na cadeira e olhou pelo aposento. Várias malas estavam em um canto, já cheias e prontas para a mudança. Os livros dela estavam em uma pilha separada; ela os levaria também. No entanto, além das suas roupas e alguns outros itens pessoais, eles tinham muito pouca coisa ali que iria com eles para o novo apartamento. Algumas das coisas deles teriam de ser vendidas ou simplesmente deixadas para trás. Com um espaço menor, não haveria lugar para o guarda-roupa que estava em um canto, ou para alguns dos pratos e panelas da mamãe. Até a cama de Lily ficaria para trás, substituída por uma caminha de enrolar. A máquina de costura com pedal iria com eles, é claro. Mamãe não iria deixar aquilo, principalmente depois da jornada que a máquina já tinha feito desde Viena. Porém, nenhuma daquelas coisas importava para Lily. O que importava era que ela ficaria com os pais e as tias e os tios.

A mudança foi programada para dali a dois dias. Willi foi ajudar papai a colocar os pertences deles em um riquixá que os pais de Lily tinham alugado. O guia do riquixá abriu um sorriso largo sem dentes enquanto carregava as malas deles porta afora, resmungando e se curvando com o peso. Ele era tão magro, mas com músculos aparentes; parecia que poderia se partir em dois com o peso da bagagem deles. Papai e Willi empilharam seus pouquíssimos móveis, caixas, roupas de cama e banho e louças no riquixá, amarrando tudo com segurança com uma corda forte. A máquina de costura foi a última a ir, ganhando um lugar especial no topo da carga. Willi e papai iriam andar atrás desse carrinho enquanto Lily e mamãe iriam em outro riquixá. Eles se encontrariam no novo apartamento, onde descarregariam seus pertences.

– Tchau, sra. Kinecky – Lily falou para a vizinha de cima.

– Vamos nos mudar em alguns dias também, Lily – a sra. Kinecky respondeu do topo da escada. – Mas apenas um dos cachorros vai conosco. Não tem espaço. Tivemos que encontrar casas para os outros três. Espero que eles fiquem bem – ela acrescentou.

Lily fez que sim com a cabeça e acenou. Ela sentiria falta dos Kinecky, embora os cachorros deles a tivessem mantido acordada por muitas noites. Lily olhou pelo corredor até onde seus vizinhos chineses tinham morado. Eles haviam desaparecido semanas antes, e Lily não fazia ideia de onde estavam. Por fim, olhou ao redor para o aposento quase vazio que tinha sido seu lar nos últimos quatro anos. Andou até o ponto no meio da sala onde a mesa e as cadeiras tinham ficado e deu uma olhada na varanda onde ela pintara o cabelo, lembrando-se mais uma vez de que vovó caíra ao persegui-la. Ela não percebeu que o pai a seguira para dentro do apartamento.

– São apenas quatro paredes até você colocar suas coisas dentro e fazer disso um lar – disse papai. – Vamos fazer um novo lar em Hongkew, Lily.

Lily fez que sim com a cabeça, achando que não conseguiria falar. E, com isso, ela seguiu o pai porta afora e subiu no riquixá.

Normalmente, um passeio de riquixá teria sido um presente para Lily. Sempre era divertido sentar nas almofadas macias da carruagem, sacudindo para lá e para cá, enquanto o guia puxa as pessoas pela rua. A animação sempre ficava nas quase batidas evitadas por pouco conforme a carruagem desviava de pessoas, carros e bicicletas que enchiam as ruas de Xangai. Às vezes, você podia estender a mão e quase tocar no veículo que tinha parado ao seu lado. Porém, naquele dia, havia pouca alegria conforme Lily seguia pelo Bund, para longe da Concessão Francesa.

Naquele dia, parecia que todo o tráfego estava seguindo para a mesma direção, e era a direção de Hongkew.

A Ponte Waibaidu, que cruzava por cima do Rio Suzhou, estava parada com o trânsito. O riquixá de Lily se movia com passo de lesma, rastejando até a nova casa deles. Ele era acompanhado por uma procissão de riquixás, carrinhos, carros, caminhões e pessoas. Aquilo lembrava Lily da história da Pessach, em que Moisés e o povo judeu tinham escapado do terrível faraó. Eles haviam deixado o Egito em longas caravanas conforme se moviam para o deserto. Aqueles judeus acabaram na Terra Prometida. Lily estava com medo de que Hongkew não fosse ser um destino feliz.

A área designada para os judeus de Xangai era de aproximadamente 2,5 km^2. Cem mil cidadãos chineses já estavam apertados em Hongkew junto com mais de 5 mil refugiados judeus que haviam se acomodado ali desde o começo. E eles estavam prestes a receber a companhia de mais 15 mil judeus!

O riquixá de Lily serpenteou a caminho do gueto. Como tinha visto Hongkew com o pai meses antes, ela pensou que sabia o que esperar. No entanto, as coisas tinham mudado drasticamente desde então. Um posto de verificação, controlado por soldados japoneses com rifles longos apontados para os refugiados judeus, agora estava no meio da Ponte Waibaidu. Eles eram iguais aos soldados que Lily vira naquele desfile no Bund, no dia depois do bombardeio em Pearl Harbor. Não parecia haver nenhum soldado nazista à vista. Isso era um alívio. Porém, aqueles soldados japoneses eram ameaçadores o bastante quando gritavam ordens para os judeus apertarem o passo.

Depois de cruzar a ponte, Lily pôde ver que as ruas estavam barricadas com cercas de arame farpado. Ela estremeceu quando o riquixá passou pelas barreiras de arame afiado, sabendo que aqueles bloqueios tinham uma única finalidade: manter os refugiados judeus presos do lado de dentro. Conforme os riquixás seguiam pela rua, Lily olhou ao redor de si com nova curiosidade. Havia sido uma coisa visitar o gueto por uma manhã com papai, mas era bem diferente entender que aquele lugar escuro e sujo era seu novo lar.

As construções se inclinavam perigosamente sobre as que estavam ao lado e pareciam que poderiam cair com o menor sopro de vento. Para todo lugar onde olhava, Lily viu janelas estilhaçadas. Vidro quebrado amontoava-se em pilhas, ao lado de madeira podre e tijolos. Os cheiros eram ainda piores do que Lily lembrava. As sarjetas transbordavam de dejetos humanos e lixo. Lily levantou a mão para apertar o nariz, mas era impossível filtrar os cheiros nojentos. Mamãe tossiu ao lado dela e ofegou à procura de ar. Seu rosto estava pálido e Lily logo desviou o olhar. Ela estava tentando permanecer corajosa e forte, e não ajudava ver mamãe parecendo tão perturbada.

Da última vez em que Lily estivera lá, fora ela quem tinha encarado os cidadãos de Hongkew enquanto eles andavam pelas ruas e ficavam dentro de passagens escuras. Naquele dia, parecia que todos os homens, mulheres e crianças chineses estavam olhando fixamente para ela e os outros judeus que estavam invadindo a vizinhança deles. Eles pareciam confusos, como se não conseguissem entender quem aqueles recém-chegados eram e como eles iriam lotar aquela pequenina área. Lily se encolheu mais no riquixá, mas era impossível se esconder dos olhares não disfarçados.

Com cada minuto que passava, as ruas tinham mais vincos sob as rodas do riquixá, deixando a passagem ainda mais lenta. O *coolie* deles resmungou sob a carga e se inclinou mais enquanto puxava Lily e mamãe para mais perto do seu destino final. Depois de mais viradas e curvas, o riquixá fez uma última volta para a Avenida Yuhang Leste e parou em frente ao número 826. Eles

Quase 15 mil refugiados judeus foram forçados a ir para o gueto de Hongkew, cruzando a Ponte Waibaidu e deixando suas casas em Frenchtown muito para trás.

haviam chegado à sua nova casa. A antiga escola de dois andares parecia boa o bastante pelo lado de fora, melhor do que a maioria das construções na rua mal cuidada. Era um alívio! Com um suspiro profundo, Lily pulou do riquixá, virou-se para ajudar a mãe a descer e começou a auxiliar com as malas e as caixas que chegaram logo depois dela no segundo carrinho. O apartamento deles ficava no segundo andar do prédio, perto de uma escada larga. Não demorou muito tempo para descarregarem os móveis deles no pequenino apartamento de um aposento. Willi foi embora assim que a bagagem estava no lugar. Ele iria ajudar Stella e Walter a se mudarem para uma casa do outro lado de Hongkew, onde os três morariam. A casa de Nini e Poldi ficava perto. A família ficaria unida no gueto, assim como papai prometera. E, por milagre, o apartamento de Susie também seria por perto. Tudo aquilo era reconfortante para Lily enquanto ela ajudava a levar os pertences deles para o novo apartamento.

Lily enfim pôde dar uma boa olhada ao redor. A sala tinha uma pequena janela na parede oposta à porta. "Não temos mais varanda", ela pensou. Havia um espaço no canto para a cama de mamãe e papai e um espaço em frente a ela para a caminha de Lily. Uma pequena boca de fogão elétrico estava perto da janela. A mesa e as cadeiras foram colocadas no centro da sala, deixando apenas espaço suficiente para andar em volta sem bater nas paredes. Roupas, potes, panelas e outros itens pequenos estavam empilhados em uma prateleira de um lado. E era isso!

– Viu? – papai disse ao colocar a máquina de costura de mamãe contra a parede debaixo da janela. – Tudo vai ficar bem aqui. É um pouco pequeno, mas confortável, não acham?

Do apartamento ao lado, eles podiam ouvir vozes de adultos aumentando e diminuindo o tom, misturadas aos sons de alguém, uma mulher, chorando. As paredes eram muito finas ali; havia ainda menos privacidade do que no apartamento anterior. Mamãe não disse nada, embora seus olhos estivessem mais tristes do que nunca. Ela desceu o dedo por uma parede e tirou-o coberto de grãozinhos e gordura. Depois, apertou a boca em uma linha fina.

Uma batida suave na porta assustou Lily. Quando mamãe a abriu, uma mulher chinesa idosa estava parada ali com a cabeça levemente baixa. Lily nunca vira tantas rugas no rosto de uma pessoa. Ela observou mamãe apontar para as paredes do apartamento e trocou algumas palavras em chinês truncado com a estranha. Por fim, a velha fez que sim com a cabeça e sorriu, suas rugas se dobrando em seu rosto como um leque de papel.

Mamãe puxou a mulher para dentro do apartamento.

– Precisamos limpar este lugar – ela disse. – Não me importa o quão pequeno seja, não vou dormir em um aposento tão imundo. Fritz, você vai começar a procurar trabalho. Lily, vá brincar.

Mamãe fez um aceno de cabeça na direção da mulher chinesa.

– Esta *amah* vai deixar este lugar pronto para nós morarmos.

Em Frenchtown, as *amahs* sempre estiveram presentes para ajudar a limpar o apartamento deles. Mas Lily não sabia como aquela mulher enrugada iria esfregar as camadas de sujeira que haviam se acumulado naquelas paredes durante o que pareciam anos de negligência. Por ora, ela estava feliz de ser deixada de fora da tarefa de limpar. Beijou os pais e saiu correndo pela porta. Era hora de explorar aquele lugar com mais atenção.

Pelo corredor, havia uma série de portas de apartamentos. Havia também uma porta levando para os importantíssimos banheiros com descarga. Sua família dividiria aqueles banheiros com o andar todo. Mas não importava. Pelo menos, não haveria baldes a remover todos os dias. Lily desceu pela escada até o primeiro andar. Era igual ao de cima: uma série de apartamentos no longo corredor. Ela saiu pela porta do prédio e virou à esquerda. Perto dali havia uma estrutura de madeira menor que abrigava uma cozinha. Havia um fogão a gás lá dentro que também seria dividido com todas as famílias. "Se a pequena boca de fogão do nosso apartamento não funcionar, pelo menos poderemos cozinhar aqui", pensou Lily. Uma pequena sala nos fundos tinha um chuveiro. Papai lhe dissera que homens e mulheres tinham horários do dia diferentes designados para usá-lo. Lily estava se perguntando quem seriam seus vizinhos quando alguém deu uma batidinha em seu ombro. Ela girou. Um menino estava parado à sua frente.

– Oi. Meu nome é Harry. Eu vi que você se mudou para a Sacra esta manhã. Eu também moro no andar de cima, do seu lado.

Harry parecia ter 11 ou 12 anos, um ou dois a mais que Lily. Ele tinha cabelo castanho bagunçado e chutou algumas pedras no caminho enquanto esperava a resposta dela. Era engraçado ele se referir ao apartamento como Sacra, Lily pensou. Aquelas eram as iniciais da organização que papai dissera que administrava o prédio da antiga escola e estava tentando ajudar os judeus no novo gueto. Sacra... Era um nome como outro qualquer para a sua nova casa... E a fazia parecer mais agradável do que era de verdade.

– Meu nome é Lily – ela respondeu enfim. – Você mora aqui faz muito tempo?

Harry fez que não com a cabeça.

– Só há um mês mais ou menos. Nós nos mudamos logo depois de o aviso sair sobre a área designada. A maioria das pessoas do prédio também é nova. Posso mostrar o lugar para você, se quiser.

Lily gostou da ideia. Era bom falar com alguém com idade próxima à sua que já sabia como se deslocar pelo prédio e os arredores. Harry apontou para o pátio nos fundos com uma grande pilha de feno no meio para ser escalada.

– É divertido – ele disse –, desde que você não se importe com os insetos que rastejam para dentro e para fora do feno. Você se acostuma com as picadas.

Lily estremeceu. Insetos não eram sua coisa favorita.

– O que é aquilo lá?

Ela apontou para um prédio longo de concreto atrás da cozinha e mais para o lado.

– Era um abrigo antibombas, eu acho – Harry respondeu. – Não sei para que é usado hoje em dia.

O único conhecimento sobre bombas que Lily tinha era a destruição de Pearl Harbor. Seus pensamentos voltaram para Harry e o passeio pela vizinhança.

– E quanto a ali atrás?

Dessa vez, ela apontou para um muro que corria por todo o fundo do prédio e fechava o pátio de um lado.

– Tem uma unidade do exército japonês estacionada do outro lado do muro. Você pode ver os soldados do topo da pilha de feno, além de uma torre de rádio de um lado. Acho que estão aqui para ficar de olho em nós, garantir que a gente não saia de Hongkew.

Harry uniu as mãos como um par de binóculos imaginários, apontou-o direto para Lily e riu.

– Não sei aonde eles acham que a gente vai.

Lily estremeceu de novo ao olhar para o muro. Era perturbador pensar que realmente havia soldados posicionados do outro lado para observar os movimentos dos refugiados judeus. Aquilo a fazia se sentir ainda mais como prisioneira.

Quando Lily terminou seu passeio pelo prédio com Harry, estava começando a ficar escuro. Ela disse tchau para seu novo amigo e subiu correndo de volta para o apartamento. A *amah* estava acabando a última limpeza. Ela levantou o olhar para Lily e sorriu seu sorriso enrugado mais uma vez antes de aceitar alguns centavos da mamãe e se virar para ir embora. Lily tinha de admitir que o pequeno aposento parecia muito melhor do que quando eles haviam chegado algumas horas antes.

– Assim que eu tiver algum tempo, vou conseguir algumas cortinas para essa janela – mamãe disse. – Viu, Lily? Vai se parecer mais com um lar em pouco tempo.

Lily esperava que fosse verdade.

Dinheiro em papel era usado em Xangai, mesmo para quantias tão pequenas quanto 20 centavos.

Naquela noite, Lily teve um sono melhor e mais profundo do que teria imaginado e acordou renovada na manhã seguinte, pronta para a escola. Mamãe e papai, por outro lado, pareciam exaustos. Havia sombras escuras sob os olhos de papai, e a pele de mamãe estava pálida e um pouco amarela. Porém, se eles tinham tido uma conversa sussurrada mais tarde na noite anterior, Lily não ouvira uma palavra.

Ela puxou as cobertas por cima da sua cama, engoliu um café da manhã rápido de arroz frio no leite e saiu voando pela porta antes da mãe. Mamãe acompanharia Lily até a escola naquela primeira manhã para poder apresentá-la aos professores e acomodá-la na nova classe. O humor de Lily subia e descia, como o carrossel no qual ela andava quando criança, lá em Viena. Ela não pensava no parque de diversões Prater havia anos. Por um lado, ela estava animada por ir a uma escola para alunos judeus. Não haveria missionários lá para tentar convertê-la. Seria divertido conhecer novas crianças; Lily estava ansiosa com aquilo. Mas ela se daria bem? Faria novos amigos? Iria se sair bem na nova escola? Ela esperava que ninguém tentasse chamá-la de Lillian. Odiava seu nome completo. Ela era Lily. Era dessa forma que insistiria em ser chamada. Ainda assim, todas aquelas coisas desconhecidas faziam o estômago dela dar um nó, depois relaxar, como acontecia nos cavalos de madeira que circulavam a estátua do chinês gigante no centro daquele brinquedo na Áustria.

– Os primeiros dias sempre são difíceis – papai dissera mais cedo naquela manhã, como se lesse a mente dela.

Papai estava saindo para procurar trabalho. Ele a beijou levemente na testa e apertou seu braço, tranquilizador.

– Aprenda algo novo hoje – ele dissera. – E, depois, você pode me contar como foi quando eu chegar.

A Escola da Associação da Juventude Judaica de Xangai – no número 627 da Avenida Yuhang Leste – ficava apenas alguns quarteirões descendo a rua a partir de onde Lily morava. No caminho, mamãe falou para ela sobre a nova escola e a rica família judia que a construíra. Eles tinham vindo da Índia mais de cem anos antes.

– Horace Kadoorie construiu esse lugar aqui em Hongkew – mamãe disse quando elas chegaram à porta da escola. – Todo mundo a chama simplesmente de Escola Kadoorie.

Lily entrou pelas portas duplas na frente do prédio. Dentro, era frio e mal iluminado. Seus pés ressoavam no chão de madeira enquanto ela e a mãe passaram por várias salas de aula abertas antes de entrarem no escritório da diretora.

A srta. Lucie Hartwich levantou da sua mesa para cumprimentar Lily.

– Estamos felizes de tê-la aqui – ela disse, estendendo a mão. – Muitos alunos são novos na nossa Escola Kadoorie, como você, Lily. Então, não tem nada para se preocupar.

Lily aceitou o aperto de mão, solene. A srta. Hartwich parecia bem receptiva, mas tinha um rosto sério que não fazia nada para reconfortar a nova aluna. Pelo menos a diretora a havia chamado de Lily. Era um bom começo. Com um último tchau para mamãe, Lily seguiu a diretora pelo corredor até sua classe.

A aula já estava acontecendo. Vários meninos e meninas estavam reunidos em volta de um grande mapa do mundo na frente da sala. O professor, sr. Tobias, parou a aula quando viu a srta. Hartwich à porta.

– Atenção, classe. Acho que temos uma nova aluna que vai se juntar a nós hoje.

Lily deu um passo à frente, cutucada pela diretora.

– Eu sou Lily Toufar – ela balbuciou o nome em voz alta e logo foi cercada por um grupo de alunas.

– Eu sou a Hazel. Onde você está morando?

– Eu sou a Rhea. Você tem irmãos ou irmãs?

– Meu nome é Mabel. Acho que você é a mais baixa da nossa sala.

– Eu sou a Daisy. Não ligue para a Mabel. Ela está sendo maldosa. Você pode se sentar no lugar vazio ao meu lado.

Uma depois da outra, as meninas da sala se apresentaram para Lily. Os meninos ficaram para trás, observando as outras se amontoarem em volta daquela nova colega. Lily mal conseguia entender os nomes, ou onde elas todas moravam, ou quem os pais e irmãos delas eram. No entanto, quando as apresentações acabaram, ela se sentiu mais à vontade.

O professor colocou ordem na sala e continuou com a aula.

– Estamos falando sobre como viemos para Xangai – o sr. Tobias disse. – Lily, você gostaria de vir ao mapa e nos mostrar de onde você veio?

Lily se levantou da sua carteira e andou até a frente da sala. Ela encarou o mapa na parede, procurando primeiro a Áustria. Ficava do outro lado do mundo em relação a Xangai.

– Minha família veio de Viena – Lily começou a dizer, apontando para o lugar no mapa. – Saímos em 1938 e viajamos primeiro de trem para cá, Gênova, na Itália. Depois, pegamos um navio que viajou pelo Mar Mediterrâneo, passou pelo Canal de Suez na África e contornou a ponta da Índia.

Enquanto falava, ela continuava a traçar a jornada que a família fizera, percebendo que era a primeira vez em que ela realmente marcava a viagem em um mapa. Era impressionante ver quão longe eles tinham ido, mais de 12 mil quilômetros!

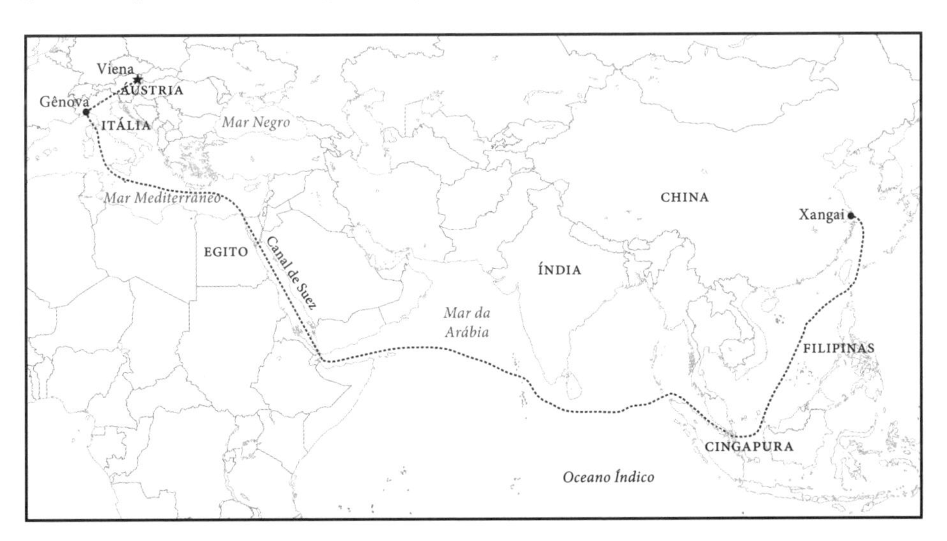

Lily mostrou para a turma a rota de viagem dela e da sua família. Primeiro, seguiram de trem de Viena para Gênova e, depois, de navio para Xangai, uma jornada que levou aproximadamente um mês.

– Depois, navegamos para além de Cingapura e das Filipinas até Xangai. Levamos cerca de quatro semanas e estamos aqui desde então.

O sr. Tobias fez que sim com a cabeça, em aprovação.

– Você vai ver que eu e muitos dos seus colegas fizemos uma viagem parecida – ele falou enquanto Lily se sentava.

A manhã passou depressa. Lily foi de uma sala para outra, conhecendo seus novos professores e descobrindo o que iria estudar: Geografia, com o sr. Tobias, e também Geometria, Ciências, Literatura e Japonês. A srta. Hartwich ensinaria Francês e Música. Todas as matérias eram conhecidas para Lily, exceto Japonês, e essa matéria seria nova para todos os alunos porque era uma exigência recente do governo japonês. No recreio, ela e outras meninas seguiram para o grande pátio gramado no centro do prédio da escola em formato de U. Elas brincaram de amarelinha e pularam uma corda que era uma coleção de elásticos amarrados uns nos outros. As meninas ensinaram para Lily uma música japonesa para pular corda, que ela aprendeu depressa.

– *Sa-ku-ra, sa-ku-ra.* Flores de cerejeira, flores de cerejeira por toda parte.

Ela viu Susie a distância e acenou para ela. As duas conversariam mais tarde. Por ora, Lily queria ficar com suas colegas de sala e aprender o máximo que podia sobre aquela nova escola. As meninas estavam cheias de informações que ficavam muito felizes em compartilhar.

– Cuidado com a srta. Hartwich – a menina chamada Rhea disse. – Ela é durona e vai bater a régua nos nós dos seus dedos se você se atrasar ou não fizer a tarefa.

O instinto de Lily estivera certo sobre a diretora. Tentaria evitá-la a todo custo.

– Todo mundo gosta do professor de Matemática, o sr. Gassenheimer. E a Educação Física é muito boa – outra menina continuou a contar.

Ela lembrou a Lily que seu nome era Mabel.

– O professor de Educação Física, o sr. Meyer, era um jogador de futebol famoso na Alemanha. Se você ficar para trás, ele vai fazer você correr mais dez voltas neste campo.

Lily nunca fora muito atlética, mas agora sabia que teria que tentar manter-se no ritmo dos outros alunos. Quando o dia terminou, a cabeça de Lily estava zunindo. A escola tinha parecido... normal! Na verdade, pela maior parte do dia, ela quase havia esquecido que estava no meio de um gueto onde ela e milhares de famílias judias estavam aprisionadas. Se Hongkew iria ser assim, então Lily achava que poderia aguentar. Ela saiu pela porta, a mente cheia de histórias para contar ao papai quando ele chegasse em casa naquela noite. A primeira pessoa que ela encontrou foi Harry, o menino do seu prédio de apartamentos.

– Como foi o seu primeiro dia? – ele perguntou.

– Muito bom, eu acho. É difícil lembrar o nome de todo mundo e entender todas as tarefas. Mas acho que vai ficar tudo bem.

– Você vai resolver isso logo – disse Harry. – E espere até saber de todos os times esportivos e atividades que nós temos. Você pode entrar no de futebol ou badminton ou até nos escoteiros.

Lily, na fila da frente, entrou para os Escoteiros Judeus de Xangai.

Lily enrugou o nariz. Ela provavelmente não entraria para nenhum time esportivo, por outro lado, os escoteiros pareciam interessantes. Lily e Harry embalaram uma conversa fácil enquanto andavam pela rua até a Sacra. Embora fosse apenas um quarteirão até o apartamento deles, a rua transbordava de pessoas, fazendo o caminho ser desafiador. Lily foi empurrada por todos os lados por pessoas que pareciam apressadas para chegar a algum lugar. Ela estava prestes a dizer algo a Harry sobre a multidão quando um jovem homem chinês abriu caminho entre eles, agarrou a mochila de escola do ombro de Harry e disparou pela rua. Aconteceu em um piscar de olhos.

– Ei, volte aqui! – Harry gritou.

Ele saiu correndo perseguindo o ladrão.

Por um segundo, Lily ficou parada de boca aberta e, depois, correu atrás de Harry. Porém, acompanhar o ritmo do amigo não era fácil. Tinha sido difícil atravessar o grande número de pessoas nas ruas de Hongkew, era ainda mais complicado correr. Harry disparava para um lado e para o outro, continuando no encalço do homem que roubara sua mochila. E, de alguma forma, Lily conseguiu mantê-los à vista. Os três correram por várias ruelas mal iluminadas e entraram em vias estreitas pavimentadas com pedras. O jovem ladrão claramente sabia se movimentar por cada centímetro quadrado de Hongkew. Foi apenas quando eles emergiram em uma rua mais larga que Harry enfim conseguiu alcançar o bandido e lutar com ele para pegar a mochila. Lily chegou até eles a tempo de ouvir Harry explodir de raiva.

– Some – ele gritou. – E, se eu vir você de novo, não vai escapar tão fácil!

O jovem saiu correndo sem olhar para trás.

Lily ficou parada ao lado de Harry, com o corpo dobrado e ofegando.

– Não deveríamos ligar para a polícia? – ela perguntou quando por fim recuperou o fôlego.

Harry pareceu achar engraçado.

– Polícia? Quem você acha que se importa com uma coisa como essa? Ou conosco? Acontece o tempo todo. Eu fui idiota de não segurar minhas coisas.

Por instinto, Lily puxou sua própria mochila mais para perto do peito e olhou em volta. Não tinha ideia de onde eles estavam. Ela olhou suplicante para Harry.

– Vamos. Eu mostro o caminho até a Sacra para você – ele disse. – Que aventura para o seu primeiro dia, não acha?

Lily sorriu.

– Vou me lembrar disso se o professor de Educação Física um dia me fizer correr voltas extras no pátio da escola.

Lily e Harry voltaram para o prédio deles. Foi estranho o incidente com o ladrão não ter assustado Lily. Ela aprendera algo no primeiro dia em Hongkew. Teria que ficar em alerta ali no gueto e estar pronta para lutar para sobreviver. Talvez aquela fosse a única história que não compartilharia com o pai.

Levou algum tempo para papai enfim encontrar trabalho no gueto. Cedo pela manhã, muito antes de Lily ter se levantado para a escola, papai estava na rua, procurando uma oportunidade de negócios, tarefas que pudesse executar, qualquer coisa que pudesse trazer dinheiro para sua família. E, toda noite, ele voltava de mãos vazias.

– Há milhares como eu procurando trabalho – ele explicou a Lily ao colocá-la para dormir.

– Você vai encontrar alguma coisa, papai – ela respondeu. – Eu sei que vai.

Papai sorriu baixando o olhar para a filha.

– Não vou desistir – ele disse com firmeza. – Não posso desistir!

E, então, certa noite, papai entrou no apartamento com ótimas notícias. A casa que Walter e Stella haviam comprado no limite de Hongkew tinha uma pequena frente de loja no andar principal. Papai decidira assumir o lugar e abrir uma loja de sapatos.

– Todos precisam de sapatos – ele falou.

Seu rosto se iluminou com um sorriso largo.

– O aluguel que eu pagar vai ajudar Walter. Com tantas famílias judias aqui no gueto, tenho certeza de que a loja dará certo. Vou chamá-la de "Schuhhaus Paris", a Casa de Sapatos de Paris.

Lily riu junto com o pai. Era um nome que soava tão elegante.

– A verdade é que é um espaço muito pequeno e está bem sujo agora. Mas vou limpar e contratar alguns funcionários. Willi pode se juntar a mim e, assim, será um negócio de família.

Era uma noite para Lily e os pais celebrarem.

Porém, embora fosse fácil para papai ir trabalhar todos os dias na sua loja de sapatos dentro dos limites de Hongkew, o trabalho estava sendo uma experiência mais desafiadora para mamãe. Judeus não podiam deixar a área designada, mas mamãe estava tentando desesperadamente manter seu emprego no convento em Frenchtown. Para ela sair do gueto e chegar ao trabalho, tinha de pedir um cartão de passagem semanal com um selo que seria mostrado para a polícia japonesa armada que patrulhava a Ponte Waibaidu, que separava Hongkew da área livre de Xangai. Esses policiais ficavam sob grandes cartazes que diziam:

REFUGIADOS SEM CIDADANIA ESTÃO PROIBIDOS DE PASSAR AQUI SEM PERMISSÃO.[3]

O homem que emitia aqueles cartões de passe dando permissão para sair do gueto era um general japonês cujo nome era Kanoh Ghoya. No começo, tinha sido bem fácil mamãe ter o cartão estampado pelo general Ghoya. E, embora ela levasse horas para ir e voltar do trabalho, ficava feliz de deixar o gueto e trabalhar. Tudo isso começou a mudar depois de vários meses se passarem.

Certa manhã de segunda-feira, Lily acompanhou a mãe para pegar o carimbo no seu cartão. Lily tinha reclamado de uma dor de cabeça naquela manhã e mamãe concordara em deixá-la faltar à escola. No entanto, em vez de ela ficar no apartamento úmido o dia todo, mamãe insistira que Lily fosse com ela.

– O ar puro será bom para você – ela disse. – E, talvez, nós compremos um pãozinho doce no caminho para casa.

Foi aquilo que a persuadiu a se arrancar da sua caminha e acompanhar a mãe na caminhada até o Departamento de Assuntos de Refugiados Sem Cidadania na Avenida Muirhead. Embora ainda fosse de manhã cedo e o escritório não fosse abrir por horas, a fila serpenteava pela rua e virava a esquina. O general Ghoya ainda não chegara, mas Lily ouviu as pessoas sussurrando e se perguntando se eles iriam ou não sair com seus preciosos carimbos naquele dia.

– O general é muito maluco – uma mulher disse para o homem ao seu lado.

---

[3] Ross, James R., *Escape to Shanghai: A Jewish Community in China*, The Free Press, New York, 1994, p. 205. *Print.*

Papai (à esquerda) pendurou essa placa de vidro pintado na vitrine da sua loja de sapatos em Hongkew.

– Sim, na semana passada, ele ameaçou atirar meu amigo pela janela – o homem respondeu.

– Meu amigo foi jogado na prisão por uma noite, só porque Ghoya pensou que o inglês dele não era bom o bastante – a mulher continuou a dizer.

– Vamos saber como está o humor dele assim que ele virar a esquina – outra pessoa entrou na conversa.

Lily não tinha certeza se queria estar ali para nada daquilo. Sua cabeça ainda estava latejando de dor e nem mesmo a promessa de uma comida gostosa era atraente àquela altura. Ela se aproximou mais da mãe. Por fim, ouviu um murmúrio alto que se espalhou pela multidão. General Ghoya estava descendo a rua e se aproximando da longa fila. Lily foi para trás da mãe, onde ficou um pouco escondida, mas ainda conseguia ver bem o homem que todos estavam chamando de louco. A primeira coisa em que ela reparou foi na altura dele. "Ele é tão baixo quanto eu", ela pensou, maravilhando-se com como alguém tão pequeno podia ter tanto poder. Ghoya era uma ameaça minúscula, um homem magro com cabelo alisado para trás e um olhar de desprezo permanente no rosto. Enquanto ele passava pela fila silenciosa de refugiados, virou e gritou:

– Sou o Rei dos Judeus!

Com um sorriso satisfeito, ele subiu a escada e entrou no seu escritório.

Era perigoso cruzar a Ponte Waibaidu onde guardas japoneses sempre estavam patrulhando.

– Se quiserem minha opinião, ele parece mais um macaco – um dos refugiados judeus atrás de Lily sussurrou.

Outros na fila riram em silêncio e concordaram com um movimento da cabeça.

A fila para o escritório do general andou devagar. Lily observou aqueles que saíam do prédio depois de o enfrentarem. Alguns agarravam seus cartões de passe contra o peito e levantavam o rosto para o céu, agradecendo em silêncio por terem recebido um carimbo. Outros deixavam a cabeça baixa e se afastavam devagar. Lily puxou a manga da mãe.

– Mamãe, e se você não conseguir um carimbo no seu cartão? – ela perguntou conforme a fila avançava um pouquinho.

– Vou conseguir o carimbo, Lily.

– Mas e se você não puder ir para o trabalho?

Um homem idoso parado na fila em frente a Lily se virou.

– Sem trabalho, sem dinheiro, sem comida na mesa.

Ele se inclinou mais para perto.

– E, depois, você é jogada na rua.

Mamãe puxou Lily para debaixo do seu braço.

– Vou conseguir o carimbo – ela repetiu.

Horas se passaram e, enfim, Lily e a mãe estavam prestes a estarem diante do general Ghoya. Lily viu mais um refugiado à frente delas se aproximar da mesa. Ghoya encarou o homem judeu em frente a ele.

– Eu trabalho no hospital da Avenida Washing, do outro lado da ponte – o homem disse.

Sua voz estava baixa e um pouco trêmula.

– Sou assistente de enfermagem lá.

Ele tinha tirado o chapéu e o segurava com o braço mole ao lado do corpo.

Esperou com a cabeça baixa. Ghoya o olhou de cima a baixo e, depois, inclinou-se para frente na cadeira.

– Mentiroso! – ele gritou. – Você é um dos espiões!

O homem levantou o olhar, pasmo.

– Não, não, eu não sou espião – ele protestou, sem firmeza. – Sou um homem honesto. Preciso ir para o trabalho para poder alimentar minha família e pagar meu aluguel.

– Espião! – Ghoya gritou de novo. – Vou colocá-lo na prisão.

O homem parecia que iria desmaiar.

– Não, por favor...

Ele juntou uma mão na outra, implorando.

Ghoya não tinha paciência para aquilo. Ele pulou, estendeu a mão por cima da mesa e deu um tapa forte no rosto do homem.

– Sem passe! Sem passe! – Ghoya berrava.

O homem quase caiu de joelhos. Lily ofegou fazendo barulho.

– Xiu – mamãe sibilou. – Sem nenhum som.

Ela deu um passo para a frente de Lily, que não conseguia resistir a espiar de trás da mãe para ver o que estava acontecendo.

O homem pegou seu chapéu, que tinha caído no chão, e saiu correndo. Seu rosto estava branco feito um fantasma a não ser pela palma vermelha que estava muito visível em uma bochecha. Enquanto isso, o general Ghoya tinha endireitado sua gravata e voltado ao seu assento atrás da mesa.

Mamãe era a próxima. Ela foi para a frente de Ghoya, e Lily arrastou-se atrás dela. Mamãe havia se arrumado naquele dia. Na verdade, a maioria dos refugiados estava usando suas melhores roupas, tentando impressionar aquele homenzinho poderoso e mau. Lily estava tremendo da cabeça aos pés. Depois de ter visto o homem antes delas, estava morrendo de medo de o general perseguir sua mãe. Ela prendeu a respiração.

– Eu trabalho no Convento do Hospital do Sagrado Coração – mamãe começou a dizer ao colocar o cartão de passe na mesa. – Ensino bordado e costura para as meninas.

Lily estava impressionada com o quanto sua mãe parecia calma. Sua voz estava confiante e controlada. Ghoya baixou o olhar para o cartão de passe e, depois, levantou-o para a mamãe. Ele então viu Lily e curvou os lábios em um sorriso sinistro. Por instinto, ela voltou para trás da mãe. Sua cabeça, que estivera doendo o dia todo, estava latejando. Por fim, depois do que pareceu uma longa pausa, Ghoya estendeu a mão para o carimbo e bateu-o com força no cartão de passe da mamãe.

– Passe para você! – ele gritou enquanto jogava o cartão de volta para mamãe.

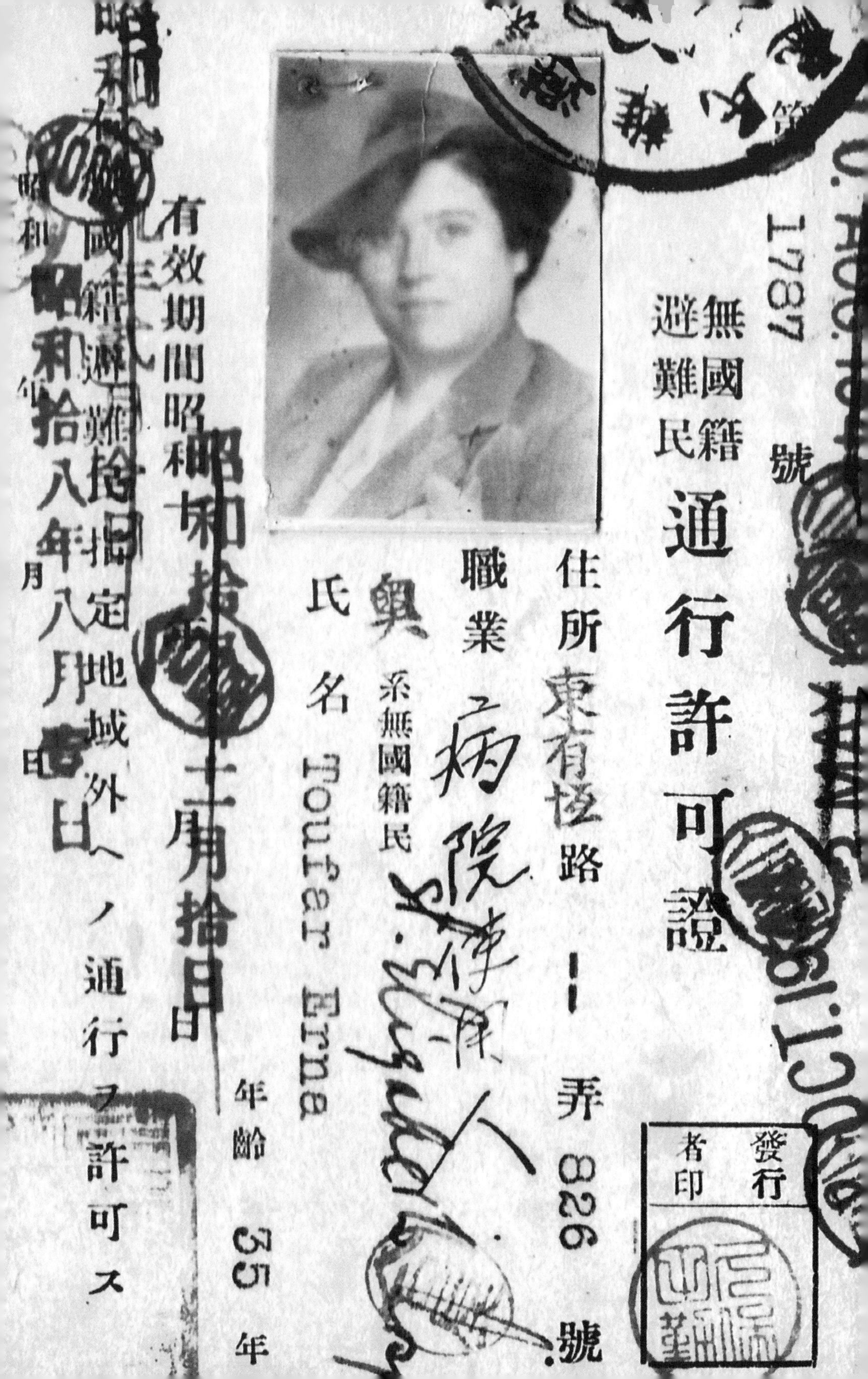
1787號

無國籍避難民通行許可證

住所　東有恆路　一一　弄　826　號

職業　病院

奥系無國籍民

氏名　Toufar Erna

年齢　35　年

有效期間昭和拾八年十二月拾日

無國籍避難民指定地域外ヘノ通行ヲ許可ス

昭和拾八年八月　日

發行者印

Ela e Lily saíram depressa do escritório. Estavam seguras e, o que era mais importante, mamãe tinha seu precioso carimbo. As pessoas que ainda estavam na fila olharam mamãe com inveja quando ela levantou o cartão triunfante no ar.

– Tudo correu bem hoje – mamãe disse conforme elas começavam a se afastar do escritório.

Ela ainda parecia bem calma, mas Lily podia detectar um leve tremular na sua voz.

– Acho que nós duas merecemos aquela guloseima – mamãe acrescentou.

Lily achou que não conseguiria falar. Mas, agora que estava de volta à rua, sentia que conseguiria respirar de novo. Estava felicíssima pelo fato de a mãe poder ir para o seu trabalho fora de Hongkew. Mas sua felicidade foi curta. A dor de cabeça que a atormentara a manhã toda ainda estava ali, embora, talvez, não tão ruim. Ainda assim, aquilo a lembrava de que, em uma semana, mamãe voltaria para aquela fila, pedindo outro carimbo. Ninguém sabia por quanto tempo aquilo iria durar... Ou se as coisas iriam piorar.

Para trabalharem fora do gueto, os refugiados judeus tinham que ter um cartão de passe carimbado pelo general Ghoya. Mamãe se sentia com sorte nas semanas em que conseguia um carimbo no seu cartão (ver p. 103).

Junho de 1943

Embora Lily se adaptasse depressa aos seus novos arredores, alguns dias eram mais difíceis do que outros. Alguns meses depois de começar a frequentar a Escola Kadoorie, Lily entrou na sala do sr. Meyer e sentou-se à carteira. Mas não ficou sentada por muito tempo.

– Façam filas para ir lá fora, alunos – o sr. Meyer mandou assim que entrou na sala. – Vamos dar algumas voltas correndo no pátio.

Lily gemeu. Ela odiava aquele exercício que o professor insistia em passar todas as semanas.

– Vou transformar todos vocês em atletas fortes – o sr. Meyer gritou enquanto fazia os alunos percorrerem o perímetro do pátio.

– O sr. Meyer acha que fazemos parte do time de futebol da Alemanha? – Lily reclamou em voz baixa.

Ela não conseguia entender o benefício daqueles exercícios semanais ou o valor dos esportes em geral. Contentava-se com um bom livro ou uma chance de estar com seus amigos. No entanto, não tinha escolha a não ser completar aquelas voltas!

Ao redor do pátio ela correu, volta agonizante depois de volta agonizante até, enfim, ela se jogar na grama, rolar para ficar com as costas no chão e olhar o céu limpo e azul. Fragmentos de nuvens salpicavam o horizonte e uma brisa quente a varreu. Era um dia perfeito e ela ficaria feliz em passar a tarde deitada ali olhando para cima. Nesse momento, uma das meninas da sua sala pulou por cima dela. Era Daisy.

– Vamos – Daisy gritou. – Aposto corrida com você pela pista.

Lily fez que não com a cabeça.

– Só me deixe aqui. Não consigo dar mais um passo.

Daisy não aceitaria aquilo. Ela agarrou o braço de Lily e começou a arrastá-la pelo pátio gramado.

– Se você não quiser correr, vou puxar você.

Lily riu alto e permitiu-se ser arrastada pelo campo. Ela estava pensando que não era um jeito tão ruim de ser movida quando, de repente, deslizou por cima de algo quente e macio. Daisy parou e congelou. Quando Lily verificou, ela percebeu que tinha passado por cima de um grande monte de cocô de cachorro que fora escondido por um tufo de grama mais alto no pátio. Ela estava coberta por aquilo da cintura até os sapatos.

Daisy largou o braço de Lily e bateu as mãos sobre a boca. Seus olhos estavam arregalados e saltados do rosto. Lily encarou sem acreditar também. Nesse momento, o sr. Meyer fez sinal para todos montarem fila e voltarem para a sala de aula. Lily estava mortificada. Ela baixou o olhar para suas roupas riscadas de marrom e levantou-o para Daisy, que ainda não se mexera. O que ela faria? Não havia jeito de Lily deixar os outros alunos a verem; ela seria a piada da turma toda. Mas que escolha tinha? O sr. Meyer estava apontando para ela agora e fazendo um gesto para ela entrar na fila. Daisy encolheu os ombros, arrependida, e depois foi se juntar aos outros. Lily esperou mais alguns segundos antes de segui-la.

No começo, ninguém pareceu notar. Lily tentou esconder o lado sujo do corpo dos colegas. Talvez ela pudesse ir escondida até o seu lugar e terminar o dia sem ninguém ver. Porém, isso não era possível. Quando ela entrou na fila no calor daquele belo sol do começo do verão, uma pequena lufada de vento passou por ela e carregou consigo um cheiro terrível.

– Alguma coisa está fedendo – um dos seus colegas gritou.

Todos olharam ao redor, perguntando-se de onde o odor horrível estava vindo. E, enfim, todos os olhos acabaram em Lily.

Seu rosto queimou e ela baixou depressa a cabeça. Mas não havia como esconder a bagunça... E, com certeza, não o cheiro. Um por um, os alunos se afastaram até Lily estar sozinha no centro de uma roda de crianças que estavam todas encarando e apertando o nariz. O sr. Meyer fingiu que não era nada.

– Todos nós tivemos nossos próprios problemas no passado – ele falou. – Voltem para a sala.

Lily passou o resto do dia sentada com suas roupas imundas e a cabeça baixa, sem querer olhar para ninguém. Daisy continuou se desculpando por dias depois daquilo, embora Lily soubesse que tinha sido um acidente e não quisesse falar sobre o assunto. Quanto menos fosse dito, melhor. Felizmente, seus colegas não a provocaram muito e, depois de uns dias, o incidente foi esquecido pela maioria deles. Ou seja, menos por Lily.

Porém, se ela pensou que aquele tinha sido o pior dia na escola, ele logo foi substituído por algo ainda mais terrível. Dessa vez, foi durante a aula de Japonês. Lily na verdade estava gostando do novo idioma, como gostava de aprender todas as línguas. Ela era boa em russo, francês e inglês e sabia que seria boa em japonês também. Mas, naquele dia, ela não estava prestando atenção no sr. Tobias. Estava entediada com a repetição de verbos e estava ocupada sussurrando com vários amigos que se sentavam por perto.

– Silêncio, srta. Toufar – alertou o sr. Tobias.

Lily parou de falar, mas, segundos depois, voltou à conversa sussurrada.

– Srta. Toufar, acho melhor você prestar atenção.

Dessa vez, a voz do sr. Tobias estava mais alta e mais severa também.

Lily o ignorou mais uma vez e continuou falando em voz baixa com os amigos.

– Srta. Toufar! Este é meu último aviso! – gritou o professor.

Porém, mesmo assim, Lily não parava. Ela estava ocupada sussurrando com a pessoa ao lado sobre o passeio de riquixá que faria com a tia Nini mais tarde naquele dia. Nem ouviu o sr. Tobias se aproximar até ser assustada e prestar atenção no *uack!*, parecido com o som de um tiro, que a régua dele fez batendo na sua carteira. Lily pulou e levantou o olhar para o rosto do professor.

– Eu avisei, srta. Toufar. Estenda as mãos para frente!

Lily não podia acreditar no que estava prestes a acontecer. Ela tinha visto outros alunos, na maioria meninos, apanharem com a régua nos nós dos dedos. Uma vez, Harry havia mostrado para ela vergões vermelhos nas suas mãos depois de ter apanhado por esquecer de levar a lição de casa. As marcas ficaram nas costas das mãos dele por dias. Porém, nunca Lily! Ela nunca fora punida por nada no passado. Aquilo estava prestes a mudar.

– Desculpe-me, sr. Tobias – Lily implorou baixinho. – Não vai acontecer de novo.

– Tarde demais para desculpas, srta. Toufar. Eu mandei colocar as mãos para frente – o sr. Tobias falou com uma voz baixa e ameaçadora.

Daria para ouvir uma agulha cair no chão. Todos os olhos estavam em Lily. Ela engoliu em seco e olhou ao redor, procurando uma maneira de sair daquela encrenca e sem encontrar nada. Por fim, devagar, ela levantou as mãos do colo, onde as havia apertado, e as estendeu, as palmas para baixo e tremendo, em frente ao professor. O sr. Tobias plantou os pés com firmeza no chão e ergueu a régua acima da cabeça. Entretanto, assim que ele começou a baixar a régua nos nós dos dedos de Lily, ela tirou as mãos do caminho. A régua do sr. Tobias chicoteou no ar, passou a mesa de Lily e atingiu com um *tuack!* alto a sua própria perna!

Todos ofegaram, inclusive Lily. O rosto do sr. Tobias se contorceu em agonia, embora não tenha feito nenhum barulho. Depois de um momento de silêncio doloroso, ele deu as costas para a carteira de Lily e voltou devagar para a sua mesa. Sentou-se pesadamente e fechou os olhos. Quando enfim os abriu, retomou a aula como se nada tivesse acontecido. Lily não foi punida por sussurrar naquele dia, embora tenha se mantido fora do caminho do sr. Tobias dali em diante... e ficado muito quieta na aula dele.

Novembro de 1943

Lily teria adorado contar ao pai a história de como ela tirou as mãos do caminho da régua do sr. Tobias. Em outros tempos, papai provavelmente teria rido alto enquanto ela descrevia a expressão na cara do professor. Ele poderia até ter compartilhado uma ou duas histórias dele sobre ter sido castigado na escola quando menino. Eles teriam dado risada juntos com essas memórias. Porém, conforme as semanas e os meses passavam no gueto de Hongkew, a risada começou a desaparecer da casa de Lily junto com a oportunidade de dividir histórias com papai. A alegria estava sendo tirada dos seus pais, deixando-os quietos e perturbados na maior parte dos dias. Lily tentava sorrir na frente deles. Ela queria mostrar-lhes que era jovem e saudável e suportaria qualquer coisa. No entanto, quando já estava morando no gueto havia seis meses, até ela estava começando a sofrer com as condições difíceis ali.

Lily estava brincando no monte de feno atrás da Sacra certa noite. Ela ainda tinha dificuldade para ignorar a torre de rádio que se erguia por cima do muro atrás do prédio de apartamentos, junto com a ideia de que a polícia japonesa estava observando os refugiados judeus dentro do gueto. Às vezes, Lily quase sentia os olhos dos guardas espiando por cima do muro, olhando para ela, seus amigos e sua família conforme eles seguiam com seus dias. Ela tentava afastar esse pensamento, mas o nó no seu estômago nunca parecia sumir quando ela brincava ali.

– Eles podem observar o quanto quiserem – Harry disse, subindo para o topo do monte de feno e ficando em pé com os braços para cima.

– Como você pode ter tanta certeza de que eles não vão fazer nada conosco? – Lily perguntou.

Ela ainda tinha pesadelos com o general Ghoya batendo no rosto do homem judeu que estava na fila à frente da sua mãe.

Harry encolheu os ombros.

– Deixe que tentem alguma coisa comigo. Vou enfrentá-los e mostrar a eles que não estou com medo.

Ele escorregou pelo monte de feno, gritando muito alto, e pulou para cair de pé no final.

Lily não tinha certeza se alguém poderia enfrentar a polícia japonesa que cuidava do gueto. Ela nunca convenceria Harry disso, no entanto. Um pequeno rato saiu correndo de debaixo do monte de feno e passou com dificuldade por cima do sapato de Lily. Ele parecia doente... quase morto. Sem pensar duas vezes, Lily se curvou, pegou o rato pelo rabo e o jogou por cima do muro de trás. Ela limpou a mão nas calças e virou-se de novo para Harry. Nos meses desde que se mudara para o gueto, ela ficara muito acostumada com os ratinhos e até com os ratos maiores que andavam pelas ruas, competindo com os cidadãos por qualquer resto de comida que conseguiam encontrar. A principal coisa a temer daqueles roedores era a doença que carregavam; doença que podia levar a infecções como meningite, que fazia o cérebro e a medula espinhal incharem. Pessoas morriam com essa doença. Os pais de Lily haviam avisado para ela nunca se aproximar demais daqueles bichos, mas eles eram muito ousados. Nem gritar, bater as mãos ou bater os pés no chão os fazia saírem correndo.

Harry estava prestes a se jogar no monte de feno uma última vez.

– Vamos – ele gritou. – Aposto corrida com você até o topo.

Lily achou que podia aceitar o desafio. Ela subiu depressa pelo monte de feno junto a Harry, tentando empurrá-lo de lado. Mas não adiantava. Os meses no gueto e os poucos alimentos que ela tinha para comer haviam acabado com a energia e a força dela.

– Você ganhou – ela falou, sem fôlego, quando enfim chegou ao topo.

Harry estava sentado ali, vitorioso.

– Eu sou o mais forte do gueto! – ele comemorou.

Harry podia ter ganhado a corrida, mas Lily via que ele também estava com dificuldade para recuperar a respiração.

Nesse momento, mamãe apareceu na janela do apartamento deles. Ela se inclinou para fora e gritou:

– Está na hora de entrar.

Lily se despediu de Harry e entrou no prédio.

Até subir as escadas estava ficando difícil, ela percebeu. Seu corpo parecia fraco e foi um esforço arrastar-se pelo último lance. Não queria que mamãe visse aquilo. Assim, antes de entrar no apartamento, Lily parou, respirou fundo e beliscou as bochechas para ficarem vermelhas e aparentarem menos pálidas. Pareceu funcionar. Seus pais não notaram nada fora do comum.

O jantar daquela noite foi uma pequena tigela de arroz com alguns feijões misturados. Mal satisfez as dores no estômago de Lily, mas ela não disse nada. Ela sabia que, por mais duro que tudo parecesse para ela, mamãe e papai estavam sofrendo muito mais. A pouca comida que tinham era dada para ela primeiro. Cobertores extras eram empilhados na cama dela. Centavos eram reservados para pequenas guloseimas que ela ganhava. Era difícil reclamar quando seus pais tinham menos de tudo.

Lily acabou sua refeição e ajudou papai a limpar os pratos. Depois, se preparou para dormir. Ela coçou o braço, sem prestar atenção. Sempre que ela brincava lá fora no monte de feno, voltava para casa com caroços e vergões dos mosquitos e besouros que moravam lá e adoravam se banquetear com qualquer um que se aproximasse.

– Lily, por favor, não coce – mamãe avisou. – Vai infeccionar.

Lily parou e apertou os dentes. Se contasse até dez, a pior parte da coceira poderia diminuir.

– Vamos deixar a janela fechada esta noite – mamãe continuou. – Desse jeito, os insetos não vão entrar.

Lily sabia que aquilo não era necessariamente verdade. Não importava o que os pais fizessem, os insetos sempre invadiam o apartamento deles. As aranhas se arrastavam de fendas minúsculas nas tábuas do chão e, quando Lily pisava nelas, elas se desintegravam em um pouco de poeira como se fosse mágica. As centopeias eram ainda piores com suas centenas de perninhas se mexendo como soldados em um desfile. E, uma vez por semana, mamãe ajudava Lily a lavar o cabelo com alvejante forte para evitar que os piolhos se espalhassem, o que também poderia levar a doenças mortais como o tifo.

Logo antes de Lily estar pronta para se deitar, papai acendeu uma vela e passou-a pelos cantos do colchão dela, tentando queimar os insetos que tinham se acomodado ali. Só ajudaria um pouco. De manhã, ela acordaria com um conjunto novo de mordidas e machucados nos braços e nas pernas.

Por fim, Lily deitou a cabeça no travesseiro. Estava frio no apartamento e ela tremeu ao puxar a coberta fina até o pescoço. Papai foi se sentar ao seu lado, respirando pesado enquanto se acomodava no colchão. Atrás dele, as agulhas de tricô da mamãe batiam suavemente enquanto seus dedos trançavam formas complicadas na malha em que ela estava trabalhando. Sempre que mamãe não estava no convento, ou trabalhando nas finanças da família, ela podia ser encontrada com uma bola de lã e suas agulhas de tricô. Lily sabia que a mãe ficaria tricotando até tarde, muito depois de ela e papai terem dormido.

– Dei um pouco de comida para um dos mendigos em frente da loja hoje – disse papai. – Era um homem judeu. Não conseguia suportar olhar para ele. Seu corpo estava magro como uma vara. Ele nem estava usando sapatos, apenas faixas sujas de tecido enroladas nos pés.

Papai fechou os olhos como se quisesse bloquear a imagem.

– Disse que a família foi tirada do abrigo porque não tinha mais dinheiro. Ele na verdade queria me dar a camisa em troca de algo para comer.

Todos os dias, Lily via homens, mulheres e crianças chinesas que imploravam por comida nas ruas. Por algum motivo, sempre era mais difícil saber de um judeu – um como eles – naquela mesma situação desesperadora. “Os olhos do papai parecem tão tristes”, pensou Lily. As rugas que cruzavam a testa dele estavam mais fundas e vincadas do que antes.

– Fico feliz que você tenha ajudado aquele homem.

– Não foi suficiente – papai respondeu. – Nunca será suficiente.

Ele suspirou de novo, mais profundamente dessa vez.

– Que tal uma história hoje, Lily?

– Ah, sim, por favor – Lily respondeu, aliviada por parar de ouvir sobre o mendigo judeu. – Você não lê para mim há tanto tempo.

Papai abriu um sorriso fraco e estendeu a mão para o livro de contos de fadas dos Grimm. O barulho das agulhas de crochê da mamãe continuou a manter um ritmo suave de fundo, acompanhando papai enquanto ele lia para Lily, até os olhos dela começarem a baixar e ela cair no sono.

Lily podia suportar os ratos e até os insetos. Na verdade, depois de vários meses no gueto, ela quase se esquecia da coceira que, no começo, fora enlouquecedora. Ela parou de estremecer sempre que um rato passava correndo pela ponta do seu sapato. E parou de prestar atenção na sujeira nas ruas e dentro do seu apartamento. Porém, a coisa com a qual não conseguia se acostumar, a única coisa que sempre estava na cabeça dela, era a fome. Seu estômago parecia vazio do começo da manhã até a hora de dormir. Era quase como uma dor física que mordia o lado de dentro do corpo dela. Havia tão pouca comida no gueto.

Houve alguma ajuda na forma de um socorro que veio de uma organização chamada Comitê Conjunto de Distribuição Judaico. Com financiamento da Cruz Vermelha Internacional, o comitê tinha estabelecido um escritório e um restaurante de caridade no coração de Hongkew. Refugiados judeus faziam fila por horas para receber uma pequena refeição por dia. Porém, com frequência, a comida que vinha estava apodrecida e nem servia para os cachorros que vagavam pelas ruas, muito menos para os cidadãos do gueto. A loja de sapatos de papai estava avançando com dificuldade. O dinheiro era escasso e o pouco que a família de Lily conseguia juntar era usado para comprar arroz, feijão e alguns preciosos legumes e verduras no mercado ao ar livre. Carne era uma delícia rara. E, durante as semanas em que era negado o carimbo no cartão de passe da mamãe, havia ainda menos comida na mesa deles. Lily estava passando fome e ficando mais magra a cada dia.

Ela podia ver a preocupação aumentando nos olhos dos pais quando saía do apartamento para ir à escola toda manhã, esforçando-se para parecer alerta e forte. Estava ficando mais difícil enganar mamãe e papai e, às vezes, até o esforço de sorrir era demais para Lily.

Certa manhã de domingo no final de dezembro, papai chamou Lily para sair com ele.

– Vou tentar vender algumas coisas no mercado – ele disse. – Venha comigo, Lily.

Não era a primeira vez que papai ia vender mercadorias em um campo aberto em uma das pontas de Hongkew. Uma vez por semana, depois de já ter trabalhado mais de 70 horas, ele pegava sapatos da sua loja e, com Willi, ia vendê-los, tentando todas as formas de fazer dinheiro para comprar alimentos que sua família pudesse comer. Lily levantou a cabeça da sua caminha, onde estava descansando, e encarou o pai.

– O ar fresco vai fazer bem a você – ele disse.

Tudo o que Lily queria fazer era ficar enrolada na cama naquele dia frio de dezembro. Seu corpo parecia muito fraco e a ideia de andar pelo gueto naquele passeio era quase demais para ela. Mas havia tanta ansiedade nos olhos do papai. Ela sabia que ele ficaria feliz se ela concordasse em ir também.

– A Susie pode ir com a gente? – Lily perguntou.

Papai fez que sim com a cabeça.

– É claro. Vamos buscá-la no caminho.

E isso foi suficiente para fazer Lily levantar da cama, colocar a malha e o casaco e juntar-se ao pai na porta.

Antes de saírem, mamãe forçou uma colher cheia de óleo de fígado de bacalhau pela garganta de Lily abaixo, como fazia todas as manhãs antes da aula.

– É bom para você – ela disse. – Vai mantê-la saudável.

Lily enrugou o nariz e apertou os olhos fechados ao abrir a boca para receber a meleca espessa com gosto de peixe. "Como uma coisa tão nojenta pode ser boa para mim?", ela se perguntou conforme o óleo escorria pela sua garganta. O óleo de fígado de bacalhau podia estar ajudando Lily a continuar saudável, mas não estava fazendo nada para aumentar o peso dela. Suas costelas apareciam no seu peito. Seus braços estavam começando a parecer gravetos e suas pernas pareciam não poder segurar seu corpo em pé. Mamãe enrolou um cachecol de lã com firmeza em volta do pescoço de Lily e ela seguiu o pai porta afora.

Naquele dia, além dos sapatos que papai carregava em um saco por cima do ombro, ele também levava caçarolas e pratos da casa deles.

– Para que servem caçarolas e panelas quando não se tem nada para cozinhar? – papai disse quando Lily o questionou sobre o embrulho. – É melhor vendê-los e conseguir mais alguns centavos.

Ele mudou o peso para o outro ombro, curvando-se com a carga. Papai estava perdendo peso também. Suas calças estavam folgadas e caindo em volta da cintura, e ele tinha feito mais furos no cinto de couro para segurá-la no lugar. Ele sempre parecera tão forte para Lily. Agora, estava magro e com músculos tão aparentes quanto alguns homens chineses que Lily via empurrando carrinhos pelo gueto.

Como prometido, Lily e o pai pararam no apartamento de Susie a caminho do campo. Susie ficou feliz em se juntar à amiga naquele passeio, e as duas meninas partiram atrás de papai. Lily puxou o cachecol de lã para cima da cabeça e tremeu. Ela tinha ficado tão magra que era difícil se manter quente, mesmo com as camadas extras de roupa que mamãe empilhara nela. Susie estremeceu ao lado dela e Lily olhou para a amiga.

– Você está bem? – ela perguntou.

Em alguns dias, papai levava sapatos e outras mercadorias para vender nas bancas de mercado da Avenida Yuhang.

– Com frio – Susie respondeu.

Talvez elas fossem se aquecer depois de chegarem ao campo onde pessoas haviam se reunido para vender seus produtos no mercado a céu aberto. O lugar já estava cheio quando papai, Lily e Susie chegaram. Papai logo definiu um pequeno espaço no meio do campo e estendeu um lençol no chão à sua frente. Os sapatos que ele havia carregado em um dos grandes embrulhos foram colocados em fileiras de um lado do lençol. Do outro lado, ele começou a arrumar as caçarolas, as panelas e os pratos que trouxera do apartamento. Lily e Susie ajudaram e, em pouco tempo, tudo estava ajeitado.

Minutos depois, papai tinha chamado a atenção de uma mulher que estava andando pelo mercado.

– Gostaria de ver um bom par de botas? – ele perguntou, abrindo bem os braços e convidando a mulher para olhar as mercadorias expostas. – Com este tempo frio, todo mundo precisa de botas, e você não vai encontrar melhores do que estas em nenhum lugar do gueto.

A mulher pareceu interessada e papai sentiu que poderia ter a primeira venda do dia.

Lily observou impressionada, admirando a habilidade de especialista do pai como vendedor, sem falar do seu charme. Porém, pouco tempo depois, ela ficou cansada de permanecer em pé no mercado e, conforme a temperatura caía, tremores começaram a subir e descer pelo seu corpo.

– Estou entediada – sussurrou Susie. – E ainda congelando!

Lily fez que sim com a cabeça.

– Papai, Susie e eu vamos dar uma volta.

Papai levantou o olhar e acenou na direção de Lily.

– Certo, certo. Não demorem muito – ele falou e voltou a negociar com sua cliente.

Lily e Susie partiram para explorar o mercado. Mas havia poucas coisas interessantes ali para elas; apenas acessórios de casa quebrados e usados para vender ao lado de roupas velhas com cheiro ruim. Não havia nem livros interessantes. Em pouco tempo, elas tinham saído do mercado e estavam vagando pelas ruas atrás do campo aberto. Ninguém prestou atenção em duas meninas que estavam andando pelo gueto, sem supervisão.

– Não está ajudando – Susie disse, pulando de um pé para o outro, tentando se esquentar. – Não consigo sentir os dedos dos meus pés.

– Talvez não tenha sido uma ideia tão boa sair com o papai hoje – Lily falou, ansiando pela cama que ela deixara para trás naquela manhã.

Naquele momento, ela viu uma grande tenda de lona que estava atrás do campo. Quase parecia o tipo de tenda de circo que ela certa vez vira em Viena, anos antes.

– Vamos entrar ali. Talvez seja quente lá dentro.

Susie hesitou, mas Lily agarrou a mão dela e arrastou-a através das portas molengas da tenda. Os olhos de Lily demoraram um momento para se ajustarem à luz fraca do lado de dentro. Ela e Susie ficaram paradas na entrada, apertando os olhos para as imagens fantasmagóricas que emergiam lentamente das sombras embaçadas. Lily sentiu a mão de Susie se apertar no braço dela.

A tenda estava cheia de velhos chineses, agachados ou deitados no chão. Alguns deles estavam dormindo. A maioria estava fumando longos cachimbos. Uma nuvem esfumaçada pairava no ar. "Com certeza está quente aqui", pensou Lily. "Na verdade, está quase sufocante". A fumaça dos cachimbos era demais para ela. Subia pelo seu nariz e entrava em seus pulmões. Ela e Susie tossiram e engasgaram.

– Não quero ficar aqui – Susie tossiu as palavras.

Elas se viraram e saíram correndo da tenda, ofegando em busca de ar. Os velhos mal levantaram o olhar. Depois de chegar ao lado de fora, Susie estava farta.

– Eu vou para casa – ela disse. – Desculpe, Lily, mas isto não é divertido.

E, com isso, ela se virou e saiu andando, deixando Lily sozinha nas ruas de Hongkew. "Este dia está piorando rápido", Lily pensou. Ela não podia culpar Susie por desertá-la. Desejava ir para casa também. Porém, primeiro ela voltou ao mercado para encontrar papai. Ela o achou de bom humor.

– Estou fazendo algumas vendas – ele contou quando Lily lhe disse que queria ir embora. – Não posso ir ainda.

Lily ficou parada sem ter escolha, observando uma mulher idosa fazendo uma troca com seu pai por algumas caçarolas. Naquele momento, o frio tinha entrado pelo casaco de Lily e percorrido seus braços e suas pernas. O vazio no estômago dela apenas se somava aos espasmos que chacoalhavam seu corpo.

Quanto tempo ela teria que esperar pelo papai? Nessa hora, ele levantou o olhar e encontrou os olhos suplicantes de Lily. Papai suspirou.

– Vá para casa, Lily.

– D... d... desculpe, papai – Lily balbuciou as palavras. – Acho que eu não d... deveria ter vindo hoje.

– Não, a culpa é minha. Eu não quero que você fique doente. Mas pegue – ele acrescentou, colocando a mão no bolso. – Leve este dinheiro e compre um pouco de leite no caminho para casa.

Ele colocou algumas preciosas moedas na mão estendida dela e, com isso, voltou para suas vendas. Lily voltou para a rua. Ela não se importava de ter aquele tempo sozinha e, depois de tantos meses morando em Hongkew, Lily podia encontrar seu caminho pelo gueto com facilidade. Segurando os poucos centavos que papai lhe dera, ela partiu para casa.

Não havia geladeira no apartamento deles e nenhum lugar onde manter os produtos frescos por mais de um ou dois dias. Nem chegava a ser um problema, já que a família raramente tinha restos de comida para guardar. Mamãe costumava comprar leite em embalagens pequeninas que podiam ser consumidas depressa, antes de estragarem. Naquele dia, Lily entrou na pequena loja de provisões e olhou ao redor. As prateleiras estavam quase vazias. O dono do lugar, um senhor judeu idoso, mal tirou os olhos do seu jornal. Lily seguiu para os fundos da loja e a pequena caixa térmica que continha as caixas de leite. Ela pegou seis embalagens pequenas, contando o dinheiro com cuidado antes de entregá-lo para o dono da loja. Ele resmungou um agradecimento antes de Lily sair pela porta para ir para casa.

As pequenas caixas de leite estavam em um saco de papel que Lily segurava perto do peito. "Ninguém vai pegar meu leite precioso", ela pensou. Enquanto andava, ela se perguntava como seriam os meses seguintes de inverno no gueto. O inverno em Frenchtown tinha sido difícil. Porém, Lily tinha medo de que ali, onde as paredes do prédio eram finas como papel e não havia nenhum aquecimento, o inverno fosse ser brutal.

As caixas de leite pulavam dentro do saco de papel marrom. O estômago de Lily estava roncando mais do que o normal e, sem pensar, ela colocou a mão no saco, tirou uma das pequenas embalagens, abriu a tampa e bebeu o leite de uma só vez. Era delicioso e, por um momento, Lily fechou os olhos e permitiu-se aproveitar o sabor cremoso. Restavam cinco caixas no saco. "A mamãe nunca vai notar", Lily pensou.

Ela continuou andando, passando a grande cadeia que ficava na Rua Ward. Lá dentro havia, na maior parte, prisioneiros chineses. Lily perguntou-se se eles tinham alguma comida durante seus longos dias de confinamento. Ela colocou a mão dentro do saco de novo, tirou outra caixinha e, depois de um momento de hesitação, abriu a tampa e bebeu aquela também. Duas das seis já tinham ido. Que desculpa Lily daria para a mãe? Não podia dizer que o leite tinha sido roubado. Por que um ladrão iria embora com apenas duas pequenas embalagens? "A mamãe vai acreditar se eu disser que as deixei cair? Provavelmente, não."

A volta para casa estava começando a aquecer o corpo de Lily. E o gosto do leite doce estava em seus lábios. Era tão gostoso, e seu estômago implorava por apenas um pouco mais. E, embora ela alertasse a si mesma para parar naquele momento, simplesmente não havia como controlar o desejo que a dominou. Lily colocou a mão no saco uma última vez e bebeu depressa mais duas embalagens de leite. Com apenas duas restando, Lily subiu a escada até seu apartamento e encarou a mãe.

Mamãe olhou dentro do saco e, depois, olhou fixo para Lily, que ficou parada de cabeça baixa, pronta para receber qualquer que fosse o castigo que mamãe empregasse. "Terá valido a pena", Lily pensou. Seu estômago parecia quase normal pela primeira vez em semanas. Por fim, mamãe fechou o saco e deu um suspiro fundo.

– Vá se preparar para dormir, Lily – ela disse.

Lily levantou o olhar sem acreditar.

– Mas e quanto ao leite? – ela perguntou.

Mamãe fez que não com a cabeça.

– Acho que você precisa dele mais do que nós. Eu queria ter mais para dar.

Lily foi poupada, e nem a mãe nem o pai fez menção ao leite. Porém, por mais maravilhoso que o sabor daquele líquido cremoso tivesse sido, só havia enchido seu estômago por um momento. Logo, ela estava com tanta fome quanto antes e só podia sonhar com um dia ter todo o leite que conseguisse beber.

Algumas semanas depois, mamãe voltou para casa do trabalho com uma delícia especial; uma que ela sabia que ajudaria a diminuir a fome que dominava Lily. Com suas preciosas economias, mamãe comprara um grande pedaço de carne da cozinha do convento. Era uma língua de boi, uma iguaria que Lily não comia havia muitos meses. Mamãe prometeu que cozinharia alguns legumes e serviria um banquete para a família. Na verdade, a família toda – os tios e tias de Lily – fora convidada para compartilhar a refeição.

Lily não conseguia conter sua animação. Os parentes não se reuniam para uma refeição desde que tinham se mudado para o gueto. Lily sentia falta daqueles jantares e conversas de família que fluíam em volta da mesa. Ela até sentia falta do seu tio Willi provocando-a com suas histórias. Naqueles dias, tio Willi tinha outras coisas na cabeça e tinha pouco tempo para sua jovem sobrinha. Não apenas ele estava trabalhando por muitas horas com papai na loja de sapatos mas Willi havia conhecido uma garota e o pouco tempo livre que ele tinha era gasto com ela. Seu nome, como o da melhor amiga de Lily, era Susi, e Lily a achava bonita. Ela tinha cabelo grosso, escuro e encaracolado, lábios cheios e arredondados e olhos amendoados. Lily se perguntava se tio Willi iria se casar com Susi e esperava, em segredo, que ela logo tivesse uma nova tia.

Naquela noite, Willi foi acompanhado até o apartamento de Lily por seu pequeno cachorro, Meckie. Lily adorou conhecer aquele membro mais recente da família.

– Ele é tão fofo – ela disse, ajoelhando-se e abraçando o pequeno terrier branco.

O cachorro era pequeno e amigável, diferente dos cachorros gigantes que sua antiga vizinha, a sra. Kinecky, tinha em Frenchtown. Meckie abanou o rabinho e levantou-se para lamber Lily na bochecha. Eles viraram amigos no mesmo instante.

– Onde você conseguiu o cachorro?

Willi encolheu os ombros.

– Em nenhum lugar, na verdade. Saí da loja de sapatos um dia e ele estava lá. Ele me seguiu até minha casa e está comigo desde então.

Lily costumava brincar com o cachorro de Willi, Meckie.

Na maioria dos dias, Meckie simplesmente vagava pelas ruas de Hongkew com os outros cachorros que andavam livres pelo gueto. Mas Willi disse que ele sempre voltava à noite.

Lily brincou com Meckie em um canto do apartamento até mamãe chamá-la para ajudar a dar os toques finais no jantar. A língua estava cozinhando em uma panela de água fervente que estava em cima da boca do fogão elétrico perto da janela. O trabalho de Lily era mexer no saco de arroz branco que mamãe jogara no centro da mesa e tirar os besouros e outros insetos que pudessem ter se aninhado ali. Às vezes, esses sacos de arroz ficavam cheios de insetos. Naquele dia, havia apenas alguns, e Lily rapidamente os esmagou entre os dedos.

"Isso foi fácil", ela pensou. Era muito pior quando ela encontrava vermes na farinha que a mãe usava para cozinhar. Eram mais feios que os insetos e estouravam entre os dedos dela. Depois, Lily teve de lavar os legumes que iriam na panela com a carne. Lily aprendera a nunca beber a água do gueto. Todos tinham medo de disenteria, uma doença em que seu estômago inchava e você sofria cólicas severas e diarreia terrível. As bactérias venenosas que levavam a essa doença cresciam na água que fluía dos canos de Hongkew. Sem tratamento, era suficiente para matar crianças pequenas e deixar até o adulto mais forte doente por semanas. A água que os pais de Lily levavam para o apartamento tinha que ser fervida e tratada com algumas gotas de peróxido, um tipo de alvejante que matava as bactérias. Mamãe levava as preciosas gotas para casa do convento. Nada, nem mesmo verduras murchas, podia entrar em contato com a água que não tivesse sido tratada antes com o produto químico.

Depois de Lily ter limpado os legumes e eles terem sido acrescentados à panela, ela voltou ao canto do apartamento para brincar com Meckie. O cheiro vindo da carne sendo preparada era divino. Todos os seus tios e tias soltaram *ós* e *ahs* com a carne que estava prestes a ser servida.

– Quando vai chegar a hora? – papai perguntou. – Se não ficar pronta logo, juro que vou colocar a mão naquela panela e comer a carne crua!

Todos riram, inclusive Lily. Por uma noite, ela podia esquecer insetos, e ratos, e sujeira e só aproveitar estar junto dos pais e parentes, compartilhando uma refeição e risadas muito necessárias. Lily jurou que tentaria pensar menos no seu estômago e mais sobre o quão grata ela estava pela sua família. "Talvez papai esteja certo", pensou Lily, ao olhar pela sala. Ele sempre dissera que, desde que a família estivesse unida, tudo ficaria bem. O aroma que vinha da panela borbulhante estava ficando intoxicante. Ela inspirou de novo e de novo, como se o cheiro sozinho pudesse preenchê-la.

Enfim, todos se reuniram em volta da mesa. Faltavam minutos para a refeição ficar pronta. Porém, quando Lily estava prestes a se sentar, houve um berro alto atrás dela. Ela se virou a tempo de ver que um grande gato de rua tinha entrado na sala pela janela aberta. Atraído pelo cheiro da carne, o gato havia subido até o apartamento deles e, enquanto ninguém estava prestando atenção, tinha mergulhado as patas na panela de água fervente, agarrado a peça toda de carne e estava prestes a sair correndo de volta pela janela e desaparecer nas ruas, com o jantar deles preso entre seus dentes. Mas não se a mãe de Lily pudesse fazer alguma coisa.

– Seu animal malvado, malvado! – gritou a mamãe. – Volte aqui antes que eu o corte ao meio e o cozinhe também.

Mamãe se jogou no gato, que desapareceu depressa pela janela. Ela se virou e saiu correndo pela porta, desceu as escadas perseguindo o gato com afinco. Por um momento, ninguém se mexeu. Depois, a família toda saiu correndo pela porta para a rua. Podiam ver mamãe virando para um lado e para o outro, contornando riquixás e carrinhos, empurrando crianças e mulheres idosas do caminho enquanto se mantinha à distância de um braço de agarrar o gato que roubara o jantar deles.

As pessoas da rua pararam de repente, observando aquela mulher louca correr pela rua gritando o mais alto que podia para o ladrão parar. De repente, mamãe sumiu ao virar uma esquina, deixando os membros da família incrédulos, de boca aberta. Devagar e em silêncio, eles se viraram, seguiram com passos pesados pela escada e entraram no apartamento. Lily estava preocupada com a mãe, que desaparecera de vista, mas estava horrorizada porque o jantar deles podia ter ido embora.

– Se alguém pode pegar aquele gato, é a sua mãe – papai disse com a voz fraca. – E, se não, bem, então, vamos ter que dar um jeito com uma refeição menor.

Lily afundou no chão ao lado de Meckie e olhou o cachorrinho.

– O que aconteceu com você? – ela sussurrou. – Por que não nos protegeu e protegeu nosso jantar?

Meckie bocejou e rolou para ganhar carinho na barriga. Lily cruzou os braços em frente ao peito e olhou para o nada.

Minutos se passaram e, enfim, ouviram-se passos na escada. Lily saltou e ficou em pé e correu para a porta do apartamento. Ela a abriu depressa e lá estava a mamãe. Embora estivesse gelado lá fora, suor escorria pelo rosto dela. Seu cabelo estava colado em montinhos na sua testa e seu avental estava manchado e rasgado na barra. Porém, o pior de tudo, as mãos de mamãe estavam largadas pelas laterais do corpo... vazias! Papai passou por Lily e puxou mamãe para o apartamento, guiando-a para uma cadeira à mesa. Todos a esperaram falar.

– Quase peguei aquele ladrãozinho – mamãe enfim sussurrou, encarando as mãos. – A ponta do rabo dele estava nos meus dedos, mas ele conseguiu escapar. Eu simplesmente não conseguia correr mais.

– Não se preocupe, Erna – papai respondeu. – Você fez o melhor que pôde. Vamos ficar bem com o que temos, não é, pessoal?

Os tios e tias de Lily murmuraram concordando, enquanto Lily ficou afastada da família, encarando incrédula. Ela não se sentia bem com o jantar perdido. Estava brava e decepcionada e, acima de tudo, faminta! Mas o que podia dizer? Bastava olhar para a aparência desgrenhada da mãe para saber que ela tinha tentado tudo o que podia para recuperar a refeição deles.

Devagar e em silêncio, a família reuniu-se à mesa e se sentou. Eles passaram pequenas travessas de legumes cozidos e tigelas de arroz. Logo antes de comer, papai levantou-se e encarou a família.

– Sei que essa não é a refeição que qualquer um de nós esperava esta noite – ele começou a dizer, seus olhos em Lily.

Ela sentiu as bochechas queimarem enquanto papai continuava.

– Não sabemos por quanto tempo vamos continuar prisioneiros neste gueto. E não sabemos de verdade de onde virá a próxima boa refeição. Mas estamos juntos como família. E isso é o mais importante.

Papai afundou de novo na sua cadeira enquanto todos começavam a comer.

Ele contou a história de como o gato havia roubado o jantar deles todas as noites por semanas depois disso. A história ficou tão enfeitada e exagerada que era difícil saber o que era verdade e o que não era. Lily ria sem controle sempre que o pai contava o evento. Depois de um tempo, ela quase esqueceu o quão faminta e decepcionada ficara naquela noite.

Fevereiro de 1944

Os meses de inverno que vieram depois foram tão difíceis quanto Lily temia que fossem. Nada podia aquecê-la conforme o ar frio invadia o apartamento e se acomodava ali como um inquilino indesejado. Os pais dela não pareciam se importar com as temperaturas geladas. Papai batia os braços em volta do corpo, colocava o casaco e saía para a loja de sapatos.

– O frio me mantém acordado durante os longos dias – ele dizia. – É tão melhor do que o calor insuportável do verão.

Mamãe também aceitava o frio assim. Também tinha achado o calor opressivo. Mas Lily, não. À noite, ela se encolhia debaixo de várias cobertas tentando desesperadamente parar os tremores que chacoalhavam seu pequeno corpo. Os dias eram tão ruins quanto as noites. Mesmo com camadas de malhas e casacos, Lily não conseguia se manter quente. Ela rezava todos os dias para que o frio e a umidade do inverno fossem embora. Mas a estação parecia se arrastar infinitamente.

Certa manhã, Lily estava deitada na cama, ouvindo mamãe se mexer pelo aposento. A qualquer minuto, mamãe lhe diria para se levantar e se preparar para a escola. No entanto, Lily não estava bem pronta para encarar o dia. Ela se enterrou debaixo das cobertas tentando deixar o sono buscá-la por apenas mais alguns minutos. O sono era o único lugar onde ela não sentia frio e ela ansiava por voltar para lá e sonhar com o sol quente no rosto. Não iria acontecer. O frio estava invadindo as cobertas, e ela precisava se vestir enquanto ainda tinha um pouco de calor no corpo. Respirando fundo, Lily jogou as cobertas para longe e avançou para suas roupas, agarrando a malha mais grossa e as meias de lã mais quentes. Ela estava inclinada sobre uma pequena tigela para jogar água no rosto quando mamãe falou:

- Lily, venha para casa depressa depois da escola hoje. Tem uma nova cafeteria na Avenida Chusan. Pensei que poderíamos ir juntas esta noite.

Lily parou, tremendo por causa da água gelada.

- Qual é a comemoração, mamãe?

- Faz quase um ano que nos mudamos para o gueto. E, até agora, ainda estamos saudáveis e fortes. Você está indo bem na escola e seu pai e eu estamos trabalhando e tentando economizar um pouco de dinheiro. Achei que isso merece uma pequena comemoração.

"Um ano inteiro!", Lily ficou chocada ao perceber aquilo. Quanto tempo mais eles teriam que ficar em Hongkew?

A Escola Kadoorie era tão fria quanto o prédio do apartamento dela. Os dedos de Lily tinham cãibras enquanto ela mexia o lápis pela página.

Estranhamente, correr em volta do pátio naquele dia com o sr. Meyer foi a única maneira de Lily sentir um pouco de calor. O sangue começou a pulsar nas pernas dela e ela podia sentir o suor escorrer da testa. Porém, o rubor quente depois daquele exercício não durou. O frio achou um jeito de se enfiar novamente no corpo de Lily, deixando-a tremendo de novo. A única coisa pela qual ela ansiava era o passeio com a mamãe e correu para casa depois da escola para poderem ir juntas.

Apesar do fato de haver pouca comida no gueto, de alguma forma os judeus de Hongkew estavam conseguindo abrir lojas e restaurantes. Os restaurantes não eram nem de longe tão grandiosos quanto os que haviam sido montados na Concessão Francesa, e nem sempre havia muitas opções no cardápio. Os proprietários improvisavam com ingredientes escassos para criar algumas delícias. Porém, esses pequenos restaurantes com certeza ajudavam a melhorar o humor dos judeus que viviam na área designada. A cafeteria em questão era chamada de Roof Garden Café. Tinha paredes de um rosa claro e cortinas floridas. Música suave tocava ao fundo. Lily e a mãe se sentaram a uma mesinha redonda e pediram chá e uma pequena torta doce para dividirem.

Mamãe entregou algumas preciosas moedas para o proprietário e sorriu para a filha.

– Vale a pena – ela disse. – Se eu fechar os olhos, posso ver como Viena costumava ser. Cafeterias como esta estavam por todo lado na cidade.

Lily fechou os olhos. Ela tinha poucas memórias de uma vida antes da mudança deles para Xangai. Até Frenchtown era um sonho distante para Lily. Porém, por um momento, não importou. Ela envolveu a xícara quente de chá com os dedos e deu um gole. Líquido quente desceu pela sua garganta, aquecendo seu corpo por dentro. E, quando ela mordeu a crosta da torta e provou a geleia doce que escorria do centro, sentiu-se contente, como se a vida fosse normal. Lily levantou o olhar para a mãe.

– Você acha que um dia iremos embora daqui, mamãe? – ela perguntou.

A família quase nunca falava do futuro e Lily nunca fizera essa pergunta antes.

Mamãe parou, a xícara de chá suspensa no ar entre o pires e os seus lábios. Depois, ela a apoiou com um leve barulho.

– Rezo todos os dias para tudo isto acabar e nós podermos ir embora – ela disse, melancólica.

Lily não respondeu.

– Mas estamos conseguindo, não estamos, minha querida?

Lily fez que sim com a cabeça. Achava que não conseguiria falar. Por fim, mamãe suspirou e ergueu sua xícara de chá mais uma vez.

– O que você iria querer se não estivéssemos aqui?

Lily não sabia como responder àquela pergunta. Ela não sabia pelo que ansiava. Aquela era a única vida de que conseguia se lembrar. O que ela sabia de verdade sobre brinquedos ou presentes ou roupas novas? Finalmente, balbuciou uma resposta.

– Nada, eu acho, a não ser ficar aquecida no inverno.

Era um desejo tão simples.

Mamãe inclinou-se para frente e olhou fixo nos olhos de Lily.

– Um dia, eu rezo para morarmos em um lugar onde você fique aquecida no inverno, Lily.

Por fim, o inverno passou e, no começo de abril, Lily tinha esquecido a dificuldade daqueles meses muito frios. "Não tenho que me preocupar com o inverno por meses", ela pensou. "E, talvez então, as preces da mamãe por um lugar quente vão se tornar realidade."

Na sexta-feira, 7 de abril, a família comemorou a primeira noite do Pessach, a Páscoa judaica. Eles tinham sido convidados para irem à casa de um amigo da família para o Seder, o jantar que marcava o começo da festa. Porém, antes disso, todos iriam à sinagoga. A Sinagoga Ohel Moshe ficava na Rua Ward, descendo a rua depois da prisão. Embora a família não fosse à sinagoga com frequência, Lily sempre ficava impressionada quando entrava no santuário principal. Não era grande, e os bancos de madeira onde os judeus se sentavam eram simples e sem adornos. No entanto, o altar que tinha os rolos da *Torá* na frente do espaço estava coberto por uma cortina grossa de veludo vermelho com grandes estrelas de davi brancas bordadas. As cortinas e os rolos provavelmente vieram da Europa antes da guerra. Ali, na sinagoga de Hongkew, eles eram lembretes de uma vida religiosa que os judeus tinham deixado para trás.

Lily e a mãe subiram para o segundo andar do prédio, uma seção reservada para mulheres. Os homens participavam da cerimônia abaixo delas. Lily espiou por cima da proteção e procurou o pai, sentado na terceira fila ao lado de Willi, Walter e Poldi. Papai virou-se e olhou para cima, como se pudesse sentir os olhos da filha nele. Ele abriu um sorriso bem pequeno e, depois, voltou para suas orações. O rabino asquenaze estava puxando a congregação em uma música. Sua voz subia e descia com um belo vibrato que ecoava pelo salão. Todos respondiam aos versos. Lily sabia as canções, aprendera muitas delas nas aulas de hebraico depois da escola, que ela frequentava ali na sinagoga. Ela cantava com uma voz clara e forte.

Depois da celebração, a família foi para o apartamento do sr. e da sra. Cohen. Os Cohen conheceram a família de Lily em Viena antes da guerra. No começo, quando Lily soube que eles estavam sendo convidados para a casa de alguém no Pessach, ela ficara animada. Eles quase nunca visitavam outras pessoas. Porém, assim que Lily atravessou as portas do apartamento da família Cohen, seu entusiasmo sumiu. Ela era a única criança lá naquela noite, e o sr. e a sra. Cohen seguiam a religião com muito afinco. Eles iam com regularidade à sinagoga e seguiam os costumes e regras da religião judaica da forma mais completa possível. Haveria uma longa série de preces e leituras antes de a refeição do Seder ser servida e, naquele momento, Lily estava faminta. Olhou desejosa para a mãe, cujos olhos lhe avisaram para ficar quieta. Ela afundou na sua cadeira e descansou a cabeça na mão.

As leituras começaram e, em pouco tempo, Lily estava completamente entediada. Era agonizante ficar sentada ali e ouvir o sr. Cohen tagarelar as longas passagens, batendo a mão na mesa para criar efeito. Lily queria muito a comida e apertava a mão contra a barriga para acalmar o gorgolejar que explodia dentro dela. Em certo ponto, quando ela bocejou alto, papai lançou um olhar severo na sua direção, e ela se sentou ereta mais uma vez em um esforço para ficar alerta. Quando a refeição foi servida, Lily estava esfomeada. Não havia muito na mesa, e Lily engoliu sua sopa em três colheradas. Todos tinham levado alguma coisinha para contribuir com a refeição. Havia apenas o suficiente para Lily se contentar.

Lily e outras famílias judias frequentavam a Sinagoga Ohel Moshe. Hoje, a sinagoga é um museu. A tapeçaria no altar é bordada com a seguinte mensagem: "Tributo ao povo de Hongkew que ofereceu refúgio aos judeus em tempos de necessidade".

Quando o jantar acabou, as preces e a cantoria recomeçaram. Lily, de barriga cheia, podia sentir a cabeça começar a rodar e os olhos começarem a fechar. De repente, ela ouviu seu nome, e isso lhe devolveu a atenção.

A sra. Cohen estava falando e apontando para ela.

– A mais nova precisa abrir a porta para Elias.

Era costume do Seder de Pessach encher uma taça de vinho e colocá-la em frente a uma cadeira vazia à mesa para o profeta Elias, que viria como portador da paz. Porém, a ideia de ter de abrir a porta para uma figura fantasmagórica entrar na sala era assustadora para Lily. Ela não pensava nas histórias de fantasma do tio Willi havia muito tempo. Mas, de repente, ali estava, confrontada pela possibilidade de um profeta fantasma baixar sobre ela. Ela se encolheu na sua cadeira, repentinamente bem acordada.

– Lily, acho que a sra. Cohen está pedindo a sua ajuda.

Mamãe cutucou Lily para levantar.

Lily não se mexeu. Talvez, se ela esperasse por muito tempo, a sra. Cohen pedisse para outra pessoa abrir a porta. Porém, não teve essa sorte. Dessa vez, papai a cutucou.

– Lily, vá abrir a porta.

Enquanto falava, ele puxou a cadeira de Lily por trás. Ela se levantou, olhou em volta e andou em direção à porta do apartamento dos Cohen. Por que imagens fantasmagóricas sempre a aborreciam tanto? Ela tentou controlar as mãos e as pernas trêmulas, enquanto dizia a si mesma que podia lidar com aquilo.

Lily chegou até a porta e virou a maçaneta. Com um suspiro profundo, ela abriu a porta. Queria se virar e correr para a segurança de sua cadeira. Porém, por mais assustada que ela estivesse, Lily ficou na entrada do apartamento, olhando para o corredor escuro e vazio para ver se alguma coisa estava esperando para segui-la até lá dentro. Nada apareceu e, por fim, Lily voltou para a mesa.

A porta ficou aberta enquanto todo mundo continuava a cantar e rezar. Os olhos de Lily ficaram na taça de vinho, colocada em frente da cadeira vazia. Ela observou o nível do vinho pelo resto da noite, verificando para ver se alguém ou alguma coisa tinha dado um gole.

Julho de 1944

O tempo todo em que Lily e a família estiveram enfrentando as dificuldades diárias do gueto, eles também estiveram tentando se manter atualizados com as notícias da guerra na América do Norte, Europa e países do Oceano Pacífico. Embora os jornais de Hongkew publicassem relatos diários do conflito pelo mundo, a principal fonte de informações vinha do rádio de ondas curtas deles. Ele trazia notícias da Grã-Bretanha e da América. Porém, receber aquelas informações agora estava sendo difícil. Uma nova proclamação que tornava ilegal os refugiados judeus terem rádio foi emitida em Hongkew. Papai estava furioso no dia que bateu o jornal na mesa e apontou para o anúncio que estava assinado pelo comandante-chefe das Forças Japonesas na China. Dizia:

> *Aqueles que tenham violado as disposições desta proclamação ou auxiliado o inimigo do Japão terão seus aparelhos de recepção confiscados e serão severamente punidos de acordo com regulamentações militares.*[4]

– Quem os japoneses acham que são, impedindo-nos de ouvir as notícias? – papai reclamou.

Em certo ponto, ele colocou a cabeça para fora da janela e gritou para onde os soldados japoneses estavam estacionados do outro lado do muro.

[4] <http://www.jewishmag.com/140mag/holocaust_refugee_shanghai/holocaust_refugee_shanghai.htm>.

– Vocês podem conseguir nos manter aqui, mas não podem me impedir de descobrir o que está acontecendo!

Mamãe teve de puxá-lo de volta para dentro e silenciá-lo.

Porém, mesmo sob a ameaça de punição, não havia como papai entregar seu rádio. Apesar da ordem, o rádio ficava ligado pelo máximo de tempo possível, trazendo trechos de informações sobre o que estava acontecendo no mundo. E as notícias eram esperançosas. Nas primeiras horas de 6 de junho de 1944, Lily descobriu que forças americanas, britânicas e canadenses tinham tomado uma fortaleza nazista em uma praia da Normandia no norte da França. Em ataques que vieram do ar e do mar, as defesas alemãs tinham sido despedaçadas. O dia estava sendo chamado de Dia D e, com isso, as notícias estavam prevendo o fim do domínio alemão nazista.

Os olhos de papai brilharam enquanto ele ouvia o general Eisenhower do exército dos EUA anunciar: "Não vamos aceitar nada menos do que a vitória total".[5]

– Está acontecendo, Lily – papai disse. – Só podemos rezar para que a guerra acabe logo.

Lily queria acreditar que os problemas do mundo estavam chegando ao fim. Mas ela estava confusa quanto ao que aquilo significaria para a vida dela ali no gueto. Se a guerra estava chegando ao seu pico na Europa e a Alemanha nazista estava vacilando, o Japão entraria em colapso também? E isso significaria que os judeus de Xangai seriam libertados da sua prisão em Hongkew? Era demais esperar por isso?

Nem todas as notícias que eles ouviam eram boas. A derrota dos nazistas na Normandia também foi acompanhada pela notícia de que mais de 9 mil soldados britânicos, americanos e canadenses tinham sido mortos ali. Era uma perda avassaladora de vidas, e todos da família de Lily falavam sobre os corajosos soldados que tinham dado suas vidas pela liberdade de outras pessoas. Porém, em julho, os locutores do rádio começaram a falar sobre uma tragédia nova e inimaginável que estava emergindo na Europa. Tropas russas entraram e libertaram um dos campos de concentração de que os pais de Lily tinham lhe fala-

[5] <http://www.army.mil/d-day/message.html>.

do. O lugar era chamado de Majdanek. Mamãe e papai ouviram, sem acreditar, as estimativas de que mais de 350 mil judeus tinham sido assassinados ali.

– Como isso é possível? – mamãe sussurrou.

– E esse é apenas um campo. Parece que havia dúzias como esse por toda a Europa.

Papai estava começando a fazer as contas, e os números eram chocantes.

– Podem ter morrido milhões.

– Nossos amigos? – mamãe perguntou. – Os que não conseguiram sair?

Papai baixou a cabeça e não disse nada.

Lily ouviu o rádio e os pais. Ela não conseguia imaginar que milhões de judeus poderiam ter sido mortos naqueles lugares horríveis. E, ainda assim, era isso que papai estava dizendo. Depois disso, os pais dela ficaram grudados no rádio, ainda mais do que antes. Quando não estavam ouvindo as notícias, estavam discutindo entre si e com os outros membros da família.

Ninguém imaginava que efeito tudo aquilo estava tendo em Lily. Ela começou a pensar em milhares de crianças da sua idade, separadas dos pais em campos de concentração e sendo torturadas ou mortas. Seus sonhos eram cheios de bebês mutilados e mães chorando. Ela acordava suada, enfiando o travesseiro na boca para os pais não a ouvirem gritar. E, então, certa manhã, enquanto Lily observava a mãe sair para o trabalho, ela foi tomada por um tipo de terror que não sentira antes; nem quando eles tinham se mudado para Hongkew, nem quando ela quase apanhou com a régua do sr. Tobias, nem mesmo quando ela tinha visto a mãe fazer fila em frente ao cruel general Ghoya para ganhar um carimbo no seu cartão de passe. Lily de repente ficou apavorada achando que a mãe seria parada no caminho para o convento, talvez até presa, e ela nunca mais a veria.

Lily correu da escola para casa naquele dia e ficou na janela do apartamento, esperando, preocupando-se, subindo nas pontas dos pés para espiar a rua lá embaixo até enfim ter um vislumbre da mamãe andando pela Avenida Yuhang Leste na direção da Sacra. Ao ver mamãe, Lily soltou a respiração e apertou as mãos nas bochechas quentes como fogo. Ainda assim, ela não disse nada para os pais sobre como estava se sentindo.

Isso continuou por vários dias. Lily se revirava com pesadelos todas as noites e agonizava pensando na segurança dos pais todos os dias. E, então, certa noite, papai tirou um livro da prateleira de Lily e leu para ela a história do Bambi. Quando ele chegou à parte em que a mãe do jovem cervo foi morta, Lily começou a soluçar descontrolada.

– Minha filha querida, o que foi? – papai perguntou.

No começo, Lily nem respondeu.

– É a história?

Lily fez que sim com a cabeça, tentando recuperar o fôlego. Era como se todos os meses morando no gueto, junto com o calor, o frio, a sujeira, a fome e as doenças estivessem se juntando naquele momento de desesperança.

– Por que... por que a mãe teve que morrer? – ela enfim soltou.

– Lily, é só um conto de fadas, só isso.

Depois de mais um minuto, papai sentou-se na cama de Lily e perguntou:

– Você acha que tem alguma coisa a ver com a gente? É por isso que está chorando?

Aquilo trouxe uma nova avalanche de lágrimas. Como Lily poderia sequer começar a explicar para o pai que estava consumida pela preocupação com mamãe e ele? Na sua cabeça, tudo em que conseguia pensar era na possibilidade de que eles pudessem ser separados, que mamãe pudesse ser tirada dela ou que alguém da sua família pudesse ser morto, assim como os judeus em todos aqueles campos de concentração.

– Lily, por favor, pare de chorar – papai implorou. – Você não deve se preocupar assim.

– Eu... eu não quero que vocês morram também – a resposta de Lily mal foi um sussurro.

Papai envolveu o rosto de Lily nas mãos e olhou nos olhos dela.

– Agora me escute – ele disse. – Eu não vou morrer, nem a mamãe, nem o Willi, nem a Susie, nem nenhum dos seus tios e tias. Está ouvindo o que eu estou dizendo para você?

"Como papai pode ter certeza disso?" Lily olhou de volta para o pai e fez que sim com a cabeça, devagar.

Papai levou horas para acalmá-la. Naquela noite, Lily ainda teve pesadelos com as pessoas que ela amava morrendo. Era como se a promessa de papai de que a família ficaria unida estivesse evaporando.

Logo, os medos de Lily começaram a parecer ainda mais reais. Nos meses seguintes, o exército japonês intensificou sua presença nas ruas de Hongkew. Agora, os soldados marchavam em grupos pela rua principal, apontando seus rifles na direção dos cidadãos do gueto. Seus rostos eram bravos e duros, e Lily ficava apavorada quando os via. Papai tentou conversar com ela.

– Pode ser um bom sinal – ele disse. – As forças japonesas estão nervosas com a notícia de que o exército nazista está em colapso. Os Estados Unidos estão ganhando do Japão nas Filipinas e em Guam e o derrotando em batalhas perto daqui. Os soldados do gueto só estão mexendo os músculos um pouco para nos mostrar que ainda estão no comando, quando, na verdade, eles podem estar perdendo o controle. Não é nada com que se preocupar, Lily.

"Será?", perguntou-se Lily. Ela não tinha certeza. Mantinha a cabeça baixa quando passava pela polícia japonesa. Parou de brincar no monte de feno perto do muro de onde o exército japonês estava posicionado. Então, certo dia, quando estava indo com mamãe encontrar papai na loja de sapatos, ela teve o encontro mais terrível com os japoneses que já tivera.

Era um dia nublado que prometia chuva. O céu estava escuro e ameaçador, e o vento chicoteava o lixo das ruas para o rosto de Lily. Porém, naquele dia, ela não se importou com o tempo feio, nem com os sinais que alertavam para chuva. Lily estava andando ao lado da mãe, segurando o braço dela e contando-lhe sobre seu dia na escola. Ela tinha ido muito bem em uma prova de Geometria, e o sr. Gassenheimer havia anunciado sua nota alta para a classe. Mamãe estava muito feliz com a filha, e Lily estava tão animada para contar ao papai como ela tinha se saído bem na escola que não reparou no soldado japonês até ela e mamãe quase baterem nele.

– Documentos!

O homem barrou o caminho delas e resmungou seu comando em uma voz baixa e gutural.

Lily se encolheu e tentou se esconder atrás da mãe. Era comum aqueles guardas japoneses pararem cidadãos chineses no gueto e exigirem ver seus documentos de identificação. Lily testemunhara homens e mulheres chineses idosos apanharem se não respondiam depressa o bastante às ordens de um soldado. Porém, os soldados estavam começando a parar refugiados judeus também.

Aquilo era novidade. Lily observou o jovem soldado que estava em frente a elas. Não era muito mais velho que seu amigo Harry. No entanto, aquele menino tinha recebido grande poder sobre os cidadãos de Hongkew e eles não tinham o que fazer diante da sua autoridade.

Mamãe abriu a bolsa para procurar seus documentos enquanto falava alto.

– Sei que eu os coloquei aqui hoje de manhã – ela disse.

Mais uma vez, Lily se impressionou com o quão calma sua mãe parecia. Ela, por outro lado, podia sentir o suor se acumulando na sua nuca.

– Documentos, agora! – o jovem exigiu.

Seus lábios se apertaram em uma linha e ele deu um passo mais para perto de mamãe e Lily.

– Sim, sim – mamãe continuou, mantendo a voz regular. – Não precisa ficar bravo.

Aquilo não era bom. Se mamãe não pudesse achar seus documentos, o que aconteceria? Elas seriam presas? Apanhariam? Apesar da calma de mamãe, Lily podia ver que o soldado estava ficando cada vez mais nervoso. Ele se aproximou ainda mais, até estar praticamente em cima delas.

– Só estou verificando este bolso aqui.

Mamãe ainda mexia na bolsa, procurando os papéis.

O soldado perdeu a paciência. Sem aviso, de repente recuou a mão e bateu com força no rosto da mamãe. Ela cambaleou para trás e Lily soltou um grito. Mamãe rapidamente levou a mão para a bochecha e, quando a tirou, havia uma pequena linha de sangue saindo do seu lábio inferior. Por um momento, ninguém se mexeu. E, então, mamãe se virou para Lily e berrou:

– Corra, Lily! Vá para casa... Agora!

Lily girou sobre os calcanhares e disparou pela multidão crescente que tinha se juntado para observar a briga. Porém, depois de correr alguns metros, ela parou e se virou, sabendo que não teria como deixar a mãe. Por mais apavorada que estivesse, ela tinha de ficar e ver o que iria acontecer. A uma curta distância de onde o soldado japonês estava interrogando a mamãe, Lily se escondeu atrás de um poste alto, espiando para assistir ao interrogatório. A distância, ela podia ver o sangue do lábio de mamãe descendo para o queixo. O soldado agigantou-se em frente a ela, gritando enquanto mamãe continuava a procurar freneticamente pela bolsa.

"Encontre o documento! Por favor, encontre", Lily rezava, sem poder fazer coisa alguma. Ela ficou em pé, tremendo, atrás do poste, segurando os punhos fechados contra a boca para se impedir de gritar.

Depois do que pareceu uma eternidade, mamãe enfim tirou seu documento de identificação da bolsa e empurrou-o para o soldado. Ele mal olhou para o papel antes de jogá-lo de volta para mamãe. Um instante depois, virou-se e saiu em marcha. Mamãe ficou parada sozinha, a respiração profunda, antes de recolocar o documento na bolsa e começar a caminhar na direção de casa. Quando chegou ao poste, Lily saiu de trás do seu esconderijo. Mamãe não disse nada. Ela pegou a mão de Lily e as duas começaram a andar em direção à Sacra. A chuva que ameaçara chegar o dia todo começou a cair em gotas grandes que explodiam na calçada. Ainda assim, Lily e mamãe andaram em um silêncio deliberado pelas ruelas e vias estreitas, passando por crianças agachadas nas ruas e velhos fumando nas esquinas. Quando enfim chegaram à Sacra, subiram a escada devagar, entraram no apartamento e fecharam a porta atrás de si.

Lily afundou no chão e enterrou o rosto nas mãos. Somente naquele momento ela percebeu o que acabara de acontecer e quão perto chegara de perder a mãe, possivelmente para sempre. Ela poderia ter ajudado mais? Devia ter ficado ao lado da mãe para enfrentar qualquer punição que o soldado fosse aplicar? Por mais aliviada que estivesse por sua mãe estar segura, ela acreditava que tinha desertado a mamãe no momento mais perigoso daquele confronto. Lágrimas escorriam dos olhos de Lily, unindo-se à tempestade que ela podia ouvir do lado de fora. Ela ficou no chão, chorando e se balançando para frente e para trás até mamãe enfim pegá-la pelos ombros e puxá-la para ficar em pé. Lily enterrou-se nos braços dela.

– Estou bem, Lily. Encontrei aqueles documentos idiotas e ele me deixou ir – a voz da mamãe ainda estava impressionantemente calma e tranquilizadora.

– Desculpe – Lily choramingou. – Eu nunca devia ter saído correndo.

– Do que você está falando? – mamãe perguntou, tirando Lily de seus braços e curvando-se para olhar fixo nos olhos dela. – Eu disse para você correr. Você não devia ter ficado olhando. Devia ter vindo direto para casa.

Lily encarou a mãe e esforçou-se para recuperar o fôlego. O cabelo de mamãe estava bagunçado e molhado da rua. O ponto no seu lábio onde o sangue havia aparecido estava começando a endurecer e formar um caroço escuro e feio. Sua bochecha estava vermelha e inchada.

– O que você acha que poderia ter feito? – mamãe continuou. – Batido de volta no soldado? Mesmo se fosse possível, seria idiota. Você fez exatamente o que eu lhe disse para fazer. Deu o fora de lá.

Lily não conseguia falar. Ela ainda estava destruída pela culpa por ter deixado a mãe enfrentar o soldado sozinha. Lembranças de ter feito a avó cair no apartamento a varreram. Embora fizesse pouco sentido, Lily se sentia responsável pelos ferimentos da mãe, assim como se sentira responsável pelos machucados da vovó e sua morte em seguida.

Mamãe levantou a mão para tocar no lábio inchado.

– Isto vai curar – ela disse. – O importante é que nós duas estamos a salvo.

Nos dias seguintes, as marcas no rosto de mamãe foram de vermelho vivo para azul e verde profundos. Ela exibia os ferimentos com orgulho, dizendo a todos que ela tinha enfrentado um soldado japonês, embora verificasse para ter certeza de que seus documentos estavam fáceis de achar na bolsa antes de sair do apartamento. Lily estava mais abalada do que nunca e ficava mais ansiosa quando sua mãe saía para o trabalho todas as manhãs. Papai dissera que os soldados japoneses estavam perdendo seu poder. Para Lily, parecia que eles estavam se tornando uma ameaça maior.

Foram necessários vários dias até Lily conseguir conversar com Susie sobre seu embate com a polícia japonesa. O incidente todo tinha mexido muito com ela, e ela não queria pensar naquilo, muito menos reviver! Os ferimentos de mamãe eram lembranças suficientes. Porém, por fim, Lily buscou a amiga.

– Eles são monstros – disse Susie, ouvindo o relato de Lily com os olhos arregalados. – Eu vi um soldado japonês chutar um velho que estava deitado na calçada em frente ao prédio dele. Ele não estava fazendo nada, só dormindo. Você teve sorte de não apanhar também!

– Papai diz que o exército está ficando mais fraco, mas eu não sei se acredito nele.

As duas meninas estavam descendo a rua em direção à Escola Kadoorie. A chuva, que havia começado alguns dias antes, virara uma tempestade torrencial, fazendo as ruas alagarem.

As pessoas estavam chamando de tufão. A água da chuva tinha, na maior parte, recuado da Avenida Yuhang Leste, mas o excesso de água trouxera problemas adicionais. Ralos e sarjetas estavam entupidos e transbordavam o esgoto. Lily e Susie pulavam poças onde moscas e mosquitos tinha achado um parque de diversões ideal. Essas piscinas de água parada se tornariam terreno para a proliferação de infecções e doenças. O cheiro das ruas, que nos melhores dias era opressivo, estava sendo suficiente para fazer as duas meninas engasgarem.

– Ouvimos que o exército americano tomou as Ilhas Marianas do Japão e está bombardeando Bangcoc também – continuou Susie.

A família dela também ficou com seu rádio de ondas curtas, apesar da proclamação recente.

– Acho que seu pai está certo. O Japão está sendo esmagado.

– Como o Japão está ficando mais fraco se tem tantos policiais japoneses a mais aqui?

– Só estão tentando nos fazer pensar que ainda estão no comando.

– Mas eles ainda estão no comando.

Lily podia sentir que estava ficando irritada com sua melhor amiga.

Susie não desistia.

– As notícias estão dizendo que isso simplesmente não é verdade. O Japão está perdendo a guerra no Pacífico.

– Você está errada, Susie. O Japão não desistiu.

Aquilo estava virando uma briga que Lily não queria ter. Ela queria que Susie concordasse com ela e entendesse como aquela guerra parecia eterna. Por que Susie estava sendo tão teimosa se as duas sabiam que, no final da maioria das ruas que levavam para fora do gueto, havia grupos de soldados japoneses armados posicionados atrás de barreiras de arame farpado? Papai sempre falava que aqueles muros de arame farpado mal eram necessários. Dizia que, se um rosto como o dele fosse visto do outro lado de Xangai, todos saberiam que ele era judeu; seria quase impossível se esconder. Até seu recente encontro com a polícia japonesa, Lily raramente pensava nos guardas ou nos bloqueios que mantinham os judeus do lado de dentro. Agora ela sentia como se tivesse que olhar para trás para garantir que não havia um soldado se aproximando. Dali em diante, evitaria qualquer rua que passasse pelas barricadas.

O zumbido alto de aviões encheu o ar. Eles eram uma nova ocorrência em Hongkew.

– Está vendo? – Lily gritou por cima do urro dos motores das aeronaves. – Como as coisas podem estar bem quando há aviões de bombardeio passando por cima das nossas cabeças?

Susie fez Lily parar e agarrou-a pelos ombros. Seu rosto estava a apenas centímetros do da amiga.

– São aviões de bombardeio americanos – Susie gritou. – É mais um bom sinal. Quanto mais desses aviões virmos, melhor!

Lily se libertou dela e a empurrou para passar. Já tinha sido o suficiente. Ela andou depressa à frente de Susie, olhando para o céu e para o esquadrão que passava voando. Queria acreditar que o pai e Susie estavam certos e que aviões americanos sobre Xangai eram um bom sinal. Ela queria que mais milhares de bombardeiros americanos preenchessem os céus acima de Hongkew e trouxessem o fim da guerra. Mas ainda parecia improvável.

O que Susie achava que iria acontecer? Eles iriam acordar um dia e ver que os soldados japoneses tinham ido embora? "Impossível!"

Lily começou a apertar seu passo, desviando para evitar uma montanha de sujeira e lixo que estava soltando fumaça na calçada. Ela conseguia sentir Susie logo atrás, mas ainda não estava pronta para conversar. Depois, assim que estava passando pelo pátio vazio ao lado da escola, Susie ofegou atrás dela e estendeu a mão para agarrar o braço de Lily. Ela estava prestes a se chacoalhar para se soltar quando a expressão da amiga a fez parar. Seus olhos seguiram o dedo apontado de Susie. Ali, no meio de algumas ervas daninhas e pedaços de lixo espalhados, estava o corpo de uma criança. Era uma menina chinesa, provavelmente apenas alguns anos mais nova que Lily. Os braços e as pernas da menina estavam torcidos em ângulos estranhos. A cabeça da criança estava completamente separada do corpo e caída de um lado, como se tivesse sido jogada ali igual a uma bola esquecida. Moscas já estavam começando a se juntar sobre os restos.

Lily e Susie ficaram paradas em silêncio e olharam fixamente para a pequena menina sem vida. Lily não estava com medo nem horrorizada. Pessoas morriam no gueto todo dia, em geral esquecidas e descartadas em ruelas e campos vazios, como aquela criança. Logo, *coolies* puxando carrinhos viriam remover aquele corpo, como faziam todo dia com outros corpos que tinham sido abandonados no gueto. Ela se sentia triste pela pequena criança que fora deixada ali para apodrecer. Perguntou-se como a menina havia morrido e se tinha sentido dor. Imaginou se aquela criança tinha amigos com quem costumava brincar, uma mãe que havia trabalhado todos os dias e um pai que tinha tentado cuidar da família e prometido que todos ficariam a salvo.

Lily e Susie podiam discordar o quanto quisessem sobre o futuro da guerra. A verdade é que ainda estavam no meio dela. Hongkew era real. Doença e morte eram reais. A polícia japonesa era real!

Mais tarde naquela noite, Lily olhou para fora da janela na direção da rua abaixo do seu apartamento. Havia uma procissão de enterro passando. Homens e mulheres vestindo branco, como era o costume chinês sempre que havia um funeral. Eles carregavam fotos da pessoa que morrera. Vários homens levavam pequenos instrumentos de corda que eles dedilhavam para acompanhar as mulheres que choravam com lamentos longos e altos. Lily perguntou-se se estavam chorando pela menininha que ela vira mais cedo. Ela podia sentir aquele nó de dor no seu estômago: aquele que ela sempre sentia quando os eventos ao seu redor eram entristecedores. Odiava aquele sentimento. Ansiava por confiar no seu pai e em Susie quando diziam que todos eles ficariam bem. Mas era difícil acreditar no fim da guerra quando a morte estava por toda a sua volta.

Janeiro de 1945

Ao longo dos meses seguintes, as notícias que chegavam da Europa continuavam a levar Lily e os outros refugiados judeus em uma montanha-russa emocional. No final de agosto de 1944, forças dos EUA e da Grã-Bretanha entraram na cidade de Paris e a libertaram do controle nazista. Em outubro, o exército nazista, sob a pressão dos Aliados, começou a se retirar de Atenas, na Grécia. Esse evento foi logo seguido por uma rendição em massa de soldados nazistas na cidade de Aachen, na parte oeste da Alemanha. Com cada nova vitória dos Aliados, a família de Lily se juntava em volta do seu rádio proibido para comemorar as notícias e brindar a possibilidade de um fim para a guerra. Os rostos de mamãe e papai brilhavam de ansiedade pela próxima transmissão, que poderia trazer notícias de ainda mais derrotas nazistas. Essa animação foi interrompida de repente em janeiro de 1945.

Era mais um dia de inverno em Hongkew. Lily estava pasma por perceber que eles estavam chegando quase a dois longos anos de prisão. Papai saíra para comprar um exemplar do *Shanghai Jewish Chronicle*, um dos muitos jornais publicados no gueto. Lily estava ajudando a mãe a limpar o apartamento. Ela apertou mais o cachecol de lã em volta do pescoço e se curvou sobre a vassoura de palha. Não importava o quanto mamãe tentava desinfetar o apartamento deles, a sujeira e o encardido de alguma forma conseguiam voltar para dentro. Mesmo no inverno, o mofo crescia nas paredes, brotando como um jardim de plantas sob a janela e descendo para o chão. As *amahs* chinesas vinham esfregar e tirar o mofo viscoso e verde. Mas, como um reloginho, Lily sabia que ele voltaria no dia seguinte.

Papai entrou bem quando Lily estava varrendo o último grão fino do chão. Ele passou por ela, quase sem notar que a filha estava ali, e sentou-se pesado à mesa.

– Fritz? – mamãe parecia alarmada e Lily levantou os olhos para o rosto do pai.

Ele estava branco e suando.

– Conte para mim o que aconteceu – exigiu mamãe.

No começo, papai não conseguiu falar. Lily não podia nem começar a imaginar que notícias ruins ele havia trazido para casa. Por fim, ele apoiou o jornal na mesa e largou-se sobre ele. Mamãe e Lily foram espiar por cima do seu ombro. Lá, na primeira página, estava uma foto tão repulsiva que, de início, Lily mal podia compreender o que estava vendo: homens, mulheres e crianças parecendo fantasmas, com varetas no lugar dos braços e das pernas. Os rostos deles eram tão finos e repuxados que quase não pareciam humanos. Aquelas figuras esqueléticas estavam amontoadas sob cobertas e encaravam a câmera com olhos vazios e sem vida. A manchete acima da foto proclamava: AUSCHWITZ LIBERTADO.

– É outro campo de concentração.

Papai sussurrou tão baixo que Lily teve de se inclinar para mais perto da aterrorizante foto só para ouvi-lo. Agora, as figuras fracas estavam praticamente na cara dela.

– Não, não apenas outro – continuou papai. – Dizem que é o maior que os nazistas construíram. Dizem que mais de um milhão de judeus podem ter sido mortos lá.

Lily encarou a imagem. Era assustador o bastante ouvir as notícias no rádio de milhares e até milhões de judeus sendo mortos naqueles campos de extermínio. Mas ver os rostos daqueles que tinham sido mantidos presos encheu Lily de tanto medo que seus joelhos fraquejaram e sua cabeça começou a girar. Ela também teve que se sentar.

As fotografias que vieram nas semanas seguintes eram ainda mais repulsivas e inacreditáveis. Havia imagens de câmaras de gás e fornos e túmulos coletivos com explicações detalhadas de como e onde os judeus tinham sido mortos pela Europa.

– Que tipo de mente distorcida poderia ter pensado em tais formas de assassinar pessoas inocentes? – papai dizia, fazendo que não com a cabeça quando cada nova foto aparecia.

Lily virava o rosto. Ela não conseguia olhar mais. Depois que cada artigo de jornal aparecia, ela saía do apartamento para ir falar com Susie. As duas meninas tinham resolvido sua discussão anterior. Naqueles dias, uma buscava a outra com mais frequência. Era difícil falar com mamãe e papai. Eles estavam consumidos pelas notícias de guerra e mal reparavam em Lily conforme ela seguia com suas atividades. Porém, mesmo Susie, com sua visão otimista sobre o fim da guerra, podia oferecer pouca tranquilidade ou explicação diante das notícias e da magnitude das perdas. Com frequência, as duas meninas apenas se sentavam na pequena varanda em frente ao apartamento de Susie, sem dizer nada, e observavam os cidadãos de Hongkew passarem devagar.

Lily estava voltando de uma dessas tardes na casa de Susie. Já era tarde e o céu estava ficando escuro. Ela sabia que papai detestava quando ela voltava para casa depois do pôr do sol. Ele se preocupava com ela na rua àquela hora; naqueles dias, havia muitas pessoas desesperadas no gueto procurando uma vítima fácil para roubar, sem falar na polícia japonesa sempre presente.

Lily apertou o passo, serpenteando pelas ruas mal iluminadas em direção à Sacra. Ela estava perto de casa agora; apenas mais algumas viradas e chegaria lá. Ela se perguntava se mamãe teria uma refeição decente esperando por ela em casa. Naqueles dias, mamãe costumava fazer uma mistura nojenta de espinafre com um ovo e um pouco de leite.

– Coma – ela dizia. – É saudável e vai colocar carne nos seus ossos.

Lily encarava o prato. O cheiro era horrível e o gosto era ainda pior. Ela tinha de apertar o nariz para colocar uma garfada na boca e ainda engasgava em cada mordida.

Lily enrolou sua linda capa vermelha mais colada no corpo. Mamãe comprara para ela como presente especial, e Lily adorara, embora não oferecesse proteção suficiente contra o vento frio de dezembro. À frente, ela conseguia ver seu apartamento e perguntou-se se papai estaria inclinado na janela, esforçando-se para ver se ela estava vindo. Ela sabia que ele não ficaria bravo, em especial se ela explicasse que estivera com Susie. Ainda assim, detestava deixá-lo preocupado.

Enfim, ela chegou. Empurrou as portas do prédio e começou a subir correndo a longa escada. Talvez sua cabeça ainda estivesse na conversa que ela teria com o pai para explicar por que estava atrasada. Talvez ela estivesse pensando no jantar que mamãe teria na mesa e como ela poderia evitar a mistura de espinafre. Porém, provavelmente foi a longa capa que simplesmente entrou no caminho da corrida de Lily escada acima. Com apenas alguns degraus faltando, seu pé se enrolou nas dobras do tecido. De repente, ela foi jogada para frente sem ter tempo de se segurar. No momento seguinte, sua cabeça havia batido no último degrau e ela estava caindo de ponta cabeça pelos degraus. Parou de repente toda amontoada no final da escada.

Lily ficou deitada ali, pasma. A capa vermelha estava enrolada no seu corpo como uma coberta apertada. Ela levou um segundo para libertar o braço e, quando enfim conseguiu, tocou a cabeça. Quando tirou a mão, estava coberta de sangue.

Lily não se lembra de ter gritado. Mas deve ter feito isso, porque, segundos depois, papai estava na escada ao seu lado. Ele a tomou nos braços e subiu correndo, passando por moradores curiosos que tinham ido ao corredor para ver o que acontecera. Dentro do apartamento, papai deitou Lily com delicadeza na cama dele. Nesse momento, ela estava chorando, em parte pelo susto de ver tanto sangue e em parte pela dor que estava ficando mais intensa a cada segundo. Não ajudava o fato de papai, em geral tão calmo, parecer aterrorizado.

Mamãe apareceu, ajoelhou-se ao lado da cama e colocou uma toalha na cabeça de Lily. Ela continuou a gritar e o sangramento não parava. Cada toalha saía ensopada e vermelha. Por fim, mamãe e papai olharam um para o outro.

– Precisamos de um médico – disse papai, ainda acariciando o braço de Lily. – Vou procurar o dr. Didner.

Dr. Sam Didner era um dos vários médicos que tratavam todas as doenças possíveis em Hongkew. Ele tratava infecções nos olhos, e frieiras, e disenteria, e doenças mais graves como meningite, na maior parte, sem o benefício de medicamentos, que já tinham acabado no gueto. Ele era um rosto conhecido, andando de bicicleta pelas vielas, indo ou voltando de uma visita a um paciente.

Quando papai voltou com o médico, Lily tinha se acalmado um pouco. A cabeça dela ainda latejava e ainda havia um fluxo estável de sangue saindo do ferimento. Mas os seus gritos haviam sido substituídos por soluços curtos e rápidos. A visão do médico no apartamento trouxe uma nova torrente de lágrimas.

– Calma, calma, Lily – disse o dr. Didner, ao se aproximar da cama e se inclinar sobre ela.

Sua bicicleta estava em um canto. Ele era conhecido por levar a bicicleta para onde quer que fosse, subindo ou descendo escadas de prédios, sempre preocupado que pudesse ser roubada se ele a deixasse na rua para uma consulta.

– Vou tomar muito cuidado e você me diz se estou machucando.

O médico ergueu a toalha molhada para examinar a testa de Lily. Seus dedos foram delicados enquanto ele testava a área ferida e espiava o corte. Ele se levantou alguns minutos depois e olhou nos olhos dela.

– Você tem um belo corte – disse. – Acho que vou ter que dar um ponto.

Havia algo no toque gentil do médico e seu jeito tranquilo que acalmou Lily mesmo diante desse veredito.

– Vai doer? – ela perguntou.

Dr. Didner ajustou a gravata-borboleta preta que sempre usava e limpou a garganta.

– Não vou mentir para você. Vai ser dolorido e você vai ter que ser muito corajosa.

Lily engoliu mais algumas lágrimas. Papai apareceu ao seu lado um instante depois.

– Não tem nada que você possa dar para ela? – ele perguntou.

Lily podia sentir a mão dele tremendo ao agarrar a sua.

O médico fez que não com a cabeça e fez um gesto para os pais de Lily o seguirem até o outro lado da sala. Era fácil Lily ouvir o que os adultos estavam sussurrando no espaço pequeno.

– Não há medicação para dor disponível para casos assim – o dr. Didner começou a falar. – O pouco que temos está no Hospital Geral, reservado para pacientes com ferimentos muito piores. Não estou preocupado com os pontos, vamos ajudar Lily a passar por isso. Estou mais preocupado com a possibilidade de infecção depois. Também não tenho medicação para isso.

Lily fechou os olhos. Tinha ouvido histórias sobre outros refugiados que haviam se machucado. Sem remédios para tratarem os machucados, alguns até morriam com a infecção que se instalava. "Não!", pensou Lily. "Não posso pensar nisso. É muito assustador." Quando ela abriu os olhos, dr. Didner estava em pé ao seu lado de novo.

– Vou limpar a área, Lily. Segure-se nos seus pais enquanto eu costuro isso.

Minutos depois, tinha acabado. Lily havia apertado tanto o braço de mamãe durante os pontos que deixara uma marca vermelha ali. Mas não tinha chorado nem uma vez. Dr. Didner cobriu os pontos com um curativo de tecido branco e deu instruções para mamãe sobre como limpar e cobrir a área.

– Podemos experimentar algumas ervas chinesas para diminuir a dor e tratar o corte. Vou trazer algumas amanhã – ele disse enquanto guardava seu kit e pegava a bicicleta. – Observem com atenção. Se tiver vermelhidão ou inchaço, vocês me avisem imediatamente.

– Como podemos pagá-lo, doutor? – papai começou a dizer. – Não temos muito...

Dr. Didner dispensou a pergunta.

– Não preciso de pagamento. Fico feliz em poder ajudar. Tchau, Lily. Você é uma menina muito corajosa.

Lily conseguiu dar um sorriso fraco. Ela estava exausta depois da sua provação. Tudo o que queria era fechar os olhos e tentar esquecer aquilo.

Naquela noite, ela dormiu com mamãe, enquanto papai ficou com a caminha. Ela sabia que os pais passariam a maior parte da noite se revezando para observá-la, como sempre faziam.

Dr. Didner foi várias vezes mais durante as semanas seguintes para ver como Lily estava e, por sorte, seu ferimento se curou bem. Não havia infecção e, em pouco tempo, ela estava como antes, indo para a escola, passando tempo com Susie e ajudando os pais no apartamento. Eles soltaram um suspiro de alívio quando o machucado de Lily começou a melhorar. Por fim, tudo o que sobrou foi uma cicatriz rosa.

– É um bom sinal – papai disse. – Mamãe se recuperou da briga com a polícia japonesa e você está totalmente bem no final das contas. Agora, com sorte, a guerra logo vai acabar também.

De fato, todos os dias, o rádio e os jornais estavam trazendo mais notícias encorajadoras sobre o fim da guerra. Em 1º de maio de 1945, forças nazistas baixaram as armas para os Aliados na Itália. Em 2 de maio, os nazistas se renderam em Berlim. Esses eventos foram seguidos por notícias de que Adolf Hitler, ao perceber que seus soldados estavam a ponto de cair, tinha tirado a própria vida em um *bunker* na Alemanha. Papai leu esse artigo do jornal em voz alta para Lily e para mamãe e observou com amargura:

– Suicídio foi bom demais para ele. Devia ter sido levado para julgamento.

– Pelo menos ele se foi – respondeu mamãe.

E Lily não poderia estar mais de acordo.

O dia 7 de maio trouxe a notícia pela qual todos haviam rezado. Todas as forças nazistas restantes tinham se entregado aos exércitos dos Aliados e assinado os documentos de rendição final em Reims, na França. As transmissões de rádio de 8 de maio declararam que aquele dia seria o Dia V-E: dia da vitória na Europa!

Houve celebrações por todo o gueto com as famílias judias tomando as ruas e comemorando as notícias. Até mesmo a polícia japonesa, geralmente visível, ficou imperceptível naquele dia, permitindo que os moradores de Hongkew se alegrassem com o fim da guerra. Os olhos de papai brilhavam enquanto ele falava o que aquilo significaria para eles e todos os refugiados judeus.

– É o que rezamos para acontecer, Lily! – ele afirmou. – Depois de seis longos anos de guerra na Europa, enfim acabou.

– Talvez agora nós possamos descobrir o que aconteceu com os nossos amigos. Só posso esperar que alguns deles tenham sobrevivido – acrescentou mamãe. – Talvez até possamos voltar para Viena.

Ela estava sem fôlego com a esperança.

– Uma coisa de cada vez – disse papai. – A guerra no Pacífico tem que acabar. Mas o Japão será o próximo a cair – ele afirmou. – Agora que os nazistas foram derrotados, os exércitos japoneses vão se render. Vai acontecer logo.

– E então estaremos livres, papai? – perguntou Lily.

– Sim – ele respondeu. – Estaremos livres.

Era a primeira vez que seu pai realmente dizia aquelas palavras em voz alta. E, por um momento, Lily não sabia como responder. Ela se perguntou o que significaria ser livre; sair de Hongkew sem ter que mostrar um cartão de passe, sem ter que temer a polícia japonesa. O que significaria poder comprar em lojas onde quer que ela desejasse, ter roupas quentes no inverno e ter comida suficiente para seu estômago não gritar de fome? O que significaria sair da China e ir para outro lugar? Ela nem conseguia imaginar como seria. Voltar a Viena? Cruzar o oceano até a América? A verdade era que ela e os outros refugiados nunca tinham "escolhido" realmente Xangai como destino no começo da guerra. E Xangai nunca estivera preparada de verdade para aceitar tantos judeus quanto aceitou. Por mais gratos que eles todos estivessem por terem escapado da Europa e encontrado um lugar disposto a recebê-los, a oportunidade de escolher onde iriam viver tinha sido tirada da família de Lily anos antes. Agora, poderiam ter como decidir seu futuro pela primeira vez. Era algo com que Lily mal ousava sonhar.

Porém, a liberdade não veio tão rápido quanto Lily e os pais tinham esperado. Nos meses seguintes, todos no gueto prenderam a respiração, esperando os soldados japoneses desaparecerem das ruas de Hongkew. Isso não aconteceu. As barricadas permaneceram no lugar, a polícia continuou a patrulha e os jornais noticiavam que o exército japonês se recusava a se render. Quando Lily questionou o pai sobre aquilo, ele fez que não com a cabeça e respondeu:

– O Japão está dizendo que vai lutar até o amargo fim.

"Fim do quê? As coisas não estão amargas o bastante?" A luta já tinha ido longe demais na opinião de Lily. Muitas pessoas tinham morrido. Muito da vida dela tinha sido gasto vivendo naquela prisão. Ainda assim, a liberdade de ir para onde ela quisesse quando ela quisesse parecia tão distante quanto antes. A guerra não fazia sentido para ela.

No começo de julho, rumores novos e assustadores deram aos refugiados em Hongkew uma nova rodada de pânico. Willi chegou para dar a notícia no começo da manhã, quando Lily estava saindo para ir à escola. O seu cachorro, Meckie, estava com ele como sempre, arfando e implorando um pouquinho de comida. Lily parou para coçar atrás da orelha de Meckie.

– Estou de patrulha esta manhã, mas precisava vir aqui primeiro para falar com vocês – Willi disse ao apontar para a faixa de tecido branco que envolvia seu braço.

Recentemente, Willi recebera ordens para se tornar parte de um novo grupo em Hongkew chamado Pao Chia, uma reunião de homens judeus que foram obrigados pelos militares japoneses a serem uma unidade de patrulha a serviço deles. Os Pao Chia deviam vigiar as ruas de Hongkew, verificar se os refugiados tinham seus documentos de identificação e relatar qualquer violação de regras para os comandantes japoneses, inclusive o general Ghoya. No começo, Willi dissera que nunca concordaria em fazer parte.

– Eu me recuso a virar uma das marionetes deles – ele declarara com convicção. – Não vou fazer o trabalho sujo por eles.

Mas a família o instigara a se alistar, sabendo que a punição por se recusar seria severa. Willi enfim concordou, embora tenha jurado nunca dedurar judeus como ele. A faixa branca havia se tornado uma imagem familiar nos braços de muitos homens jovens no gueto.

– Não sei se deveríamos acreditar em nada disso – Willi começou a dizer –, mas achei que vocês deviam saber. O exército japonês fez uma lista de refu-

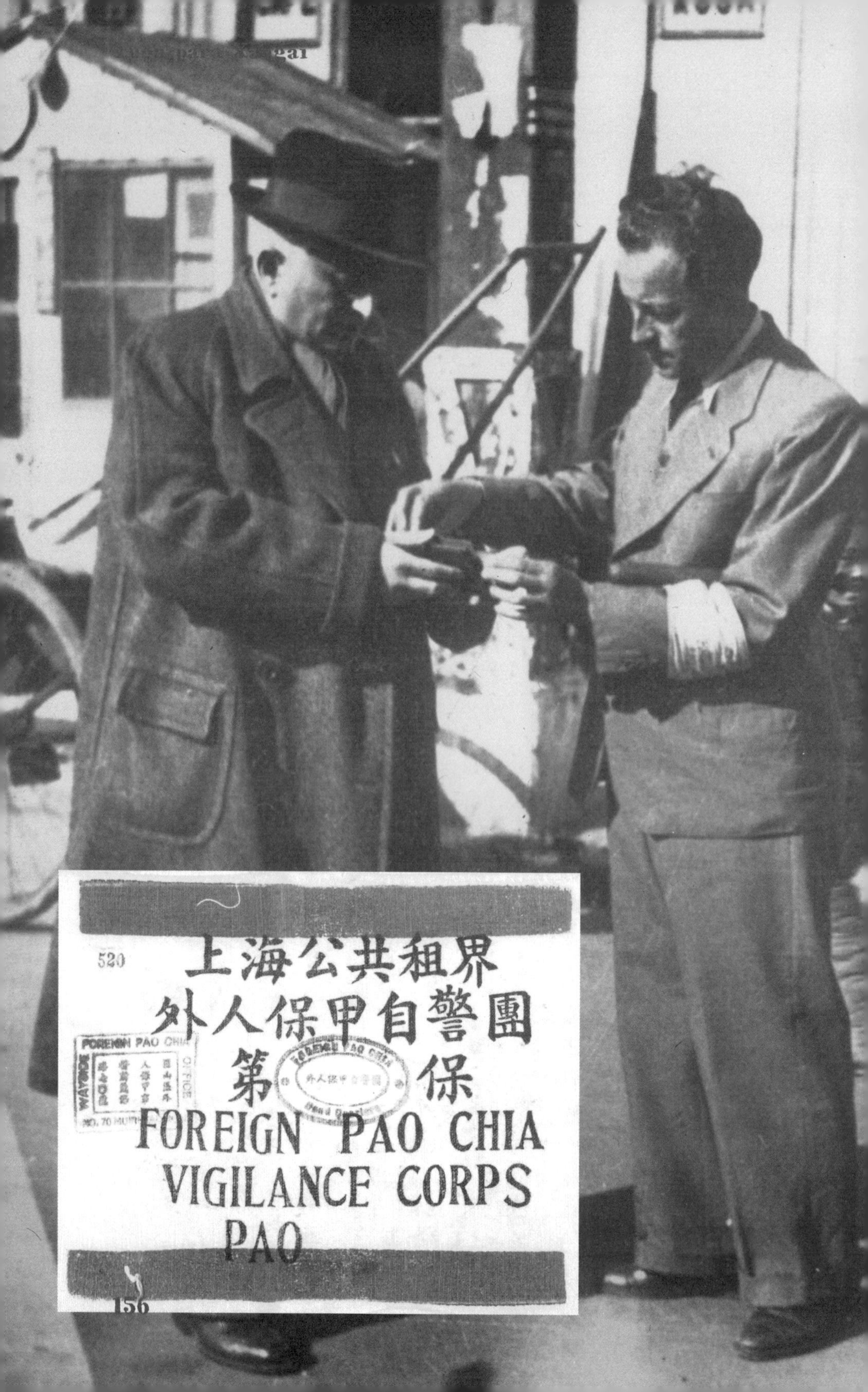
520
上海公共租界
外人保甲自警團
第　保
FOREIGN PAO CHIA
VIGILANCE CORPS
PAO

Muitos homens, como o tio de Lily, Willi, foram forçados a se tornarem membros do Pao Chia. Eles usavam essa faixa no braço.

giados judeus em Hongkew. Dizem que serão reunidos, colocados em barcos e levados para uma ilha deserta do outro lado do rio.

Lily ainda estava ocupada brincando com Meckie, mas parou e levantou o olhar quando ouviu o tio dar aquela mensagem.

– O que tem na ilha?

Willi olhou de volta para os pais de Lily antes de responder:

– Construíram campos de prisão lá. Pelo menos foi o que eu ouvi.

Mamãe segurou um grito.

– Isso é exatamente o que os nazistas fizeram com os judeus na Europa.

– Willi, nós vamos para prisões?

Lily se levantou do chão. Lembranças de fotos chocantes nos jornais piscaram diante dos seus olhos.

– Nada está confirmado – Willi disse.

– Mas não teria vindo nos contar isso se não achasse que é verdade – Lily insistiu.

– Primeiro, o gueto, depois, as prisões e, então, quem sabe o quê...

Mamãe sussurrou aquilo e, depois, levantou o olhar para encarar os olhos arregalados de Lily.

– Vocês sabem como as pessoas ficam quando há um rumor – Willi continuou, mais suave dessa vez. – Algumas dessas coisas são só para nos assustar.

"Se o exército japonês quer me assustar, então está fazendo um bom trabalho", Lily pensou.

Willi assobiou para Meckie segui-lo porta afora.

– Vou ver se consigo descobrir mais alguma coisa com os outros Pao Chia. Por hora, apenas tentem evitar qualquer patrulha japonesa nas ruas.

Lily não precisava ser lembrada disso.

– Talvez a gente deva acompanhá-la até a escola – papai disse, quando Lily parou à porta mais uma vez.

Ela fez que não com a cabeça.

– Não sou um bebê, papai. Vou ficar bem.

Ela não queria que os pais vissem que aquela nova informação a tinha abalado. Eles já tinham muito com o que se preocupar. Ela teria de ficar assustada e ser corajosa ao mesmo tempo. No entanto, quando saiu do apartamento, Lily pôde ver que a notícia dos campos de prisão já tinha chegado às ruas de Hongkew. Grupos de homens e mulheres estavam amontoados nas esquinas, as cabeças juntas em conversas sussurradas. Quando Lily passou por uma banca de jornal, leu a manchete em letras grossas na primeira página: JUDEUS SERÃO TRANSPORTADOS PARA CAMPOS DE PRISÃO. Sua respiração acelerou junto com as batidas do seu coração.

Mais tarde, naquela noite, a família toda se reuniu no apartamento para conversar sobre aquela nova ameaça. Lily desapareceu em um canto escurecido. Quanto menos visível ela estivesse, mais a família se sentia livre para conversar. Lily queria garantir que ouviria todas as palavras que estavam dizendo. Nada mais de meias verdades ou alertas sussurrados.

– É na Ilha Woosung – Willi disse. – Já há um campo de prisão lá para americanos que foram capturados depois do bombardeio em Pearl Harbor. Agora está tudo pronto para o resto de nós.

– Vocês viram os barcos vazios na enseada? – tia Stella perguntou. – Estão esperando os comandantes japoneses darem a ordem para nos colocarem lá.

Willi fez que sim com a cabeça, veemente.

– As listas que eles divulgaram estão incompletas – ele falou. – A polícia japonesa quer que nós coloquemos nossos nomes.

– Não vou assinar um papel que pode levar à nossa prisão... ou pior – papai respondeu.

– Nenhum judeu de Hongkew vai obedecer a essa ordem – Willi continuou, batendo na mesa com um punho fechado. – Vamos lutar antes de sermos presos.

Os outros murmuraram concordando.

– Lutar? – tia Nini falou. – Lutar com o quê? Pedaços de pau contra armas de fogo não vão adiantar muito.

Esse comentário fez a conversa parar de repente.

Mesmo em meio aos membros da sua família, Lily se sentia só e assustada. "Isto não pode estar acontecendo", ela pensou. Apenas semanas antes, tinham acontecido comemorações em Hongkew depois da vitória dos Aliados sobre os nazistas. "Hitler está morto! Papai disse que estaríamos livres logo." Lily se deixara acreditar que as coisas estavam melhorando, não piorando.

– Se vierem atrás de nós, vamos fugir.

Tia Stella tinha se levantado do seu lugar à mesa e estava andando de um lado para o outro no pequenino apartamento. – Voltaremos para Frenchtown e nos esconderemos lá.

– Onde você acha que podemos nos esconder? – Willi perguntou. – Se formos pegos sem documentos do outro lado, vão fazer algo muito pior do que nos prender.

Com isso, ele deslizou o dedo pela garganta. Tia Stella ofegou e afundou de volta na sua cadeira.

– Talvez as freiras possam nos esconder no convento – mamãe sugeriu. – Eu poderia perguntar.

Papai fez que não com a cabeça.

– Acho que não queremos colocá-las em uma posição tão perigosa.

Mais uma vez, a sala ficou em silêncio. Uma mosca voou em volta da lâmpada pendurada no teto. O único barulho que podia ser ouvido era o zumbido baixo das suas asas e um leve estouro sempre que ela batia na lâmpada e recuava. Por fim, papai sentou-se ereto na sua cadeira e olhou pela sala, passando por cada membro da família, inclusive Lily. Quando ele falou, sua voz estava forte e clara:

– Cada dia que passa é um dia que nos leva mais para perto do fim da nossa prisão. Tudo o que podemos esperar agora é que o tempo esteja do nosso lado.

Ele se inclinou para frente e baixou a voz para um sussurro:

– O que quer que aconteça e o que quer que façamos, vamos ficar juntos.

Com isso, todos fizeram que sim com a cabeça, concordando solenemente.

CAPÍTULO 23

17 de julho de 1945

As reportagens de jornal que apareceram nas semanas seguintes trouxeram ainda mais incerteza para os judeus de Hongkew. Algumas declaravam que a Ilha Woosung estava pronta e esperando seus prisioneiros judeus. Outras falavam da prisão de comandantes japoneses e da libertação do gueto. Depois de um tempo, Lily começou a evitar o rádio e os jornais. Eles apenas a frustravam com seus anúncios de vitórias dos Aliados, seguidos de relatos tristes sobre mortes, além de rumores de novas ameaças.

O final da guerra era no que Lily estava pensando em 17 de julho, enquanto estava sentada com a mãe almoçando. O ar no apartamento estava pesado e quente. Mamãe estava se abanando, sem prestar atenção, com um jornal dobrado. Ainda assim, o suor brilhava na testa dela e escorria pelo seu rosto e pescoço em pequenos rios, ensopando a frente do seu vestido. Lily espantou as moscas que zumbiam em volta da sua cabeça e voltou para o seu almoço. Os feijões estavam apenas um pouquinho melhores do que a mistura de espinafre que mamãe costumava fazer, mas Lily não reclamou. Ainda assim, ela ansiava por comida de verdade.

O som do motor de um avião ressoou a distância. Lily perguntou-se se era um dos muitos aviões americanos fazendo sua viagem sobre Xangai. Nos últimos tempos, tinham aparecido mais e mais daqueles aviões, e Lily, assim como todos, perguntava-se o que significava.

– Tem que ser uma boa notícia – papai continuava a dizer.

Mas Lily apenas encolhia os ombros e evitava aquela conversa.

O avião parecia estar se aproximando. E, agora, Lily achava que estava acompanhado de um segundo e, possivelmente, até de um terceiro. O ronco do motor estava crescendo. Um tremor encheu o apartamento, começando nos pés de Lily, subindo por suas pernas e entrando no seu estômago e nos seus braços. Até seu prato estava começando a chacoalhar na mesa, como se ela o estivesse balançando. Aquilo nunca acontecera antes. Lily ficou mais reta na cadeira conforme o trovão dos motores ficava mais ameaçador. Agora parecia que os aviões estavam praticamente em cima do apartamento. Mamãe levantou-se de repente e correu para a janela bem quando Lily ouviu um som lento de assobio de algum lugar em cima. Mamãe parou e virou-se para olhar a filha. O assobio ficou mais agudo e penetrante. Os olhos de mamãe e de Lily se fixaram uns nos outros. A última coisa de que Lily se lembrava era da mãe gritando:

– Lily, abaixe!

Naquele segundo, um impacto estrondoso fez Lily e a mãe caírem no chão. Lily gritou e se agarrou à perna da cadeira, conforme pedaços de reboco começaram a cair do teto em cima dela. O vidro da janela chacoalhou com violência e, depois, estilhaçou-se, arremessando pedaços pela sala. Mamãe estendeu o braço e, com uma mão, puxou a filha para debaixo da mesa. A outra mão alcançou o colchão da cama, que ela puxou para cima das duas. Lily e a mãe se encolheram ali conforme o chão tremia e se erguia embaixo dos seus corpos.

– Mamãe, o que é isso? – Lily gritou.

Ela tinha enrolado o corpo formando uma bola e estava protegendo a cabeça com os braços. A mesa balançava para cima e para baixo acima dela.

– Uma bomba... do avião.

O som dos motores ainda ressoava, e mamãe teve de berrar na orelha de Lily para ser ouvida. Reboco continuou a cair das paredes e do teto.

– Precisamos sair daqui – gritou mamãe. – Podem vir mais.

Com isso, mamãe jogou o colchão de lado e se esforçou para ficar em pé. Ela agarrou Lily e as duas cambalearam até a porta a saíram para o corredor. Outras pessoas já estavam lá, empurrando para descer as escadas. Lily segurou com força na mãe e a seguiu para a rua. Estava um caos do lado de fora. Pessoas corriam em todas as direções, berrando, cobrindo as cabeças e apontando para cima. O céu estava de um cinza embaçado, mas dúzias de aviões estavam surgindo de trás de nuvens grossas e circulando no alto, chegando muito mais perto a cada segundo. E, quando Lily olhou para cima, ficou horrorizada ao ver a bandeira dos Estados Unidos pintada proeminente na frente dos bombardeiros. "O que os americanos estão fazendo? Eles deveriam estar vindo nos resgatar, não nos matar!" Porém, Lily podia ver as portas de carga daqueles aviões se abrindo e bombas pretas caindo em cascata na direção do chão. O som dos motores rugindo misturado aos gritos retinia nos ouvidos de Lily, e fumaça espessa enchia seus pulmões. Uma segunda explosão soou por perto. Tijolos, lixo e fragmentos de prédios choviam, deixando a multidão já aterrorizada em um novo frenesi.

– Precisamos achar um lugar seguro!

Mamãe estava puxando Lily, tentando desesperadamente atravessar o bloqueio de pessoas.

Uma mulher idosa passou empurrando as duas.

– Corram para a cozinha! – ela berrou.

Lily olhou o prédio da cozinha ao lado da Sacra. Ela podia ver que dezenas de pessoas estavam se empurrando pela porta, tentando entrar na pequena estrutura de madeira.

– Mamãe! Ali?

Mamãe fez que não com a cabeça.

– Nunca vai aguentar – ela gritou.

Lily olhou ao redor, procurando um lugar que pudesse protegê-las. Seus olhos enfim pararam no pequeno prédio de concreto do outro lado do pátio. Harry o havia apontado no dia em que ela se mudara para a Sacra.

– É um abrigo antibombas – ele dissera.

Na época, ela mal mostrara interesse.

Lily puxou o braço da mãe e apontou. Os olhos de mamãe seguiram a mão de Lily. Ela fez que sim e as duas correram pelo pátio na direção do prédio. Estava quase completamente cheio de pessoas quando elas passaram pela porta e acharam um lugar para se agacharem contra a parede. Elas se encolheram ali, abraçadas uma à outra, sem dizer nada. Um homem idoso ao lado de Lily chiava alto, tentando recuperar a respiração. Um garotinho gritou. O medo, como um vento gelado, varreu o lugar e prendeu todos em seu aperto.

"Onde está o papai?", Lily se perguntou. "Ele ainda está na loja? Ele encontrou um lugar seguro para se esconder? E quanto a Willi e meus outros tios e tias?" Lily não queria pensar na possibilidade de seu pai ou qualquer um dos parentes ter sido pego no bombardeio, mas não podia deixar de pensar no pior. Estava preocupada com Susie e Harry e todos os outros alunos da sua escola. Seria impossível todos eles acharem um abrigo sólido nos limites do gueto.

Outra explosão balançou o abrigo antibombas de um lado para o outro. Várias pessoas gritaram e se agarraram às paredes do prédio e umas às outras. Poeira flutuou caindo do teto. Lily fechou os olhos e enterrou a cabeça no ombro da mãe. Levantou as mãos para cobrir as orelhas, tentando bloquear o som de explosões e gritos. Mamãe segurou Lily com firmeza e acariciou sua cabeça, sussurrando:

– Xiu, vai ficar tudo bem. Vamos ficar bem.

Mas a voz de mamãe tremia quase tanto quanto a construção onde elas estavam encolhidas.

Lily não sabia quanto tempo elas ficaram sentadas no abrigo enquanto as bombas explodiam por toda parte. Em certo ponto, ela percebeu que devia estar de noite; os feixes de luz que tinham se infiltrado por baixo da porta desapareceram e a escuridão cobriu todos lá dentro. Foi apenas quando uma nova luz estava começando a escoar para dentro que os sons de explosões do lado de fora começaram a diminuir e, enfim, desapareceram. Por um tempo, ninguém se mexeu. Ninguém ousava acreditar que o perigo tinha passado e que eles estavam seguros. Por fim, um rapaz cambaleou até a porta e a empurrou para abrir. Ele se virou para olhar para os outros.

– Acho que está tudo limpo – ele disse.

Lily e mamãe se levantaram, ainda abraçando uma a outra, e seguiram os outros refugiados para as ruas.

A visão que recebeu Lily quando eles emergiram do abrigo antibombas foi suficiente para fazê-la querer se virar e correr de novo para dentro. Nas primeiras horas da nova manhã, o gueto de Hongkew parecia ter sido atingido por um terremoto. Tijolos, madeira e vidro estavam em pilhas de entulho onde prédios antes ficavam. Outras casas menores haviam caído umas contra as outras, como peças em um jogo de dominó. Riquixás e carrinhos estavam virados e abandonados na rua. Pequenos fogos queimavam por toda parte e fumaça subia em nuvens, enchendo o ar acima da cabeça de Lily. Pessoas passaram, parecendo abismadas e confusas, balançando as cabeças de um lado para o outro e murmurando palavras incompreensíveis. Algumas estavam sangrando, mas mal pareciam reparar em seus ferimentos. Outras estavam deitadas, quase sem se mexerem, no que restava das calçadas. Os sons de choros e gemidos vinham de toda parte.

Lily segurou a mão da mãe e pisou com cuidado por cima de pedaços quebrados de vidro, madeira em chamas e outros destroços. Ela olhou para o seu prédio e ofegou alto. Ainda estava em pé, mas por pouco. As janelas estavam destruídas, estouradas pela força das explosões. Escadas balançavam no ar. Onde várias paredes tinham estado, agora havia apenas as carcaças vazias de pequenos aposentos, olhando de volta para ela. Era como se alguém tivesse cortado uma parte da Sacra, abrindo-a como um livro para expor o lado de dentro. O prédio todo tombava perigosamente para um dos lados.

Lily tropeçou em uma pequena cratera no pátio e se segurou. Então, ouviu a mãe gritar e se virou para seguir o olhar dela. A pequena cozinha que estivera ao lado do prédio delas – o primeiro lugar onde Lily quisera se abrigar – tinha sumido. Tudo o que restava era uma pilha de tábuas de madeira e fumaça.

– Mamãe! – ela gritou. – E todas aquelas pessoas que foram lá para dentro?

A mão de mamãe foi depressa para sua garganta.

– Elas devem estar presas... ou mortas – ela sussurrou.

E, assim, conforme ela e a mãe ficaram paradas observando o dano que fora feito ao bairro delas, ouviram uma voz conhecida chamando-as freneticamente. Era papai!

– Lily! Erna! Ó, graças a Deus vocês estão bem. Eu estava louco de preocupação.

Papai alcançou a esposa e a filha e as agarrou, puxando-as para perto e apertando-as tão forte que Lily teve que se afastar para recuperar o fôlego. Papai estava tremendo quase tanto quanto ela. Ela levantou o olhar para ele. Nunca estivera tão feliz em vê-lo.

– Esta parte do gueto foi a mais atingida – ele disse. – Eu não sabia o que fazer quando não consegui chegar até vocês ontem.

Ele engasgou com essas últimas palavras.

– Papai, e o tio Willi?

Lily estava quase com medo de perguntar sobre seus parentes.

– O Willi está bem – papai respondeu. – Ele estava comigo na loja. Nada foi atingido ao nosso redor, embora pudéssemos ver as explosões a distância.

Papai olhou para a esposa.

– Ele foi procurar os outros. Rezo para estarem bem também.

Mamãe soluçou, sem conseguir falar.

– Como isso pode ter acontecido? – ela enfim soltou.

Papai apontou para o muro de tijolos que antes existia atrás do prédio deles. Ele também tinha sido reduzido a entulho.

– Dizem que os bombardeiros americanos estavam mirando na torre de rádio atrás do nosso prédio. O exército japonês talvez estivesse escondendo armas e munição ali, achando que os americanos nunca bombardeariam essa área com tantos chineses e refugiados judeus. Mas guerra é guerra – ele acrescentou com amargura. – Quem sabe quantas pessoas inocentes foram feridas ou mortas nisso?

Lily olhou mais uma vez para a cozinha derrubada, perguntando-se se alguém poderia ter sobrevivido sob o desmoronamento da construção. Depois, ela ouviu outra voz chamando seus nomes. Virou-se e viu tio Willi avançando com passos largos pela rua em direção a eles. Meckie estava correndo ao seu lado.

– Eles estão todos bem – ele falou, mesmo antes de mamãe poder fazer a pergunta. – Nini e Poldi. Walter e Stella. Os prédios deles foram danificados com o choque das explosões, mas eles não foram atingidos diretamente. Não assim.

Ele levantou o olhar para o que restara da Sacra e depois virou-se de novo para Lily e os pais.

– Nós todos temos muita sorte – acrescentou, dando um aperto rápido nos ombros de Lily.

Era provavelmente o mais próximo que ele chegaria de abraçá-la.

– Não posso ficar – Willi disse. – Preciso ir ajudar com o resgate. Todos os homens do Pao Chia estão se organizando para ajudar.

Ele apontou para a faixa de tecido branco no braço.

– Não me importo de dar uma mão desta vez.

Ele olhou fixo para a cozinha derrubada e fez que não com a cabeça.

– Há muito para limpar e farei de tudo para ajudar a resgatar qualquer um que ainda esteja vivo.

Lily puxou o braço do tio e ele se curvou para olhar nos olhos dela.

– Por favor, tenha cuidado.

Willi sorriu.

– Acredite, não vou fazer nada de idiota.

– É um milagre nenhum de nós ter se machucado, e quero que continue assim – acrescentou papai.

E, com isso, Willi virou-se e seguiu pelas ruas. Meckie estava no seu encalço.

– Agora, então – papai disse, assim que Willi virou uma esquina e desapareceu –, vamos pensar no que vamos fazer.

Não havia como eles voltarem para o apartamento. O prédio estava tão instável que parecia que o mais leve vento iria tombá-lo no chão. Mas eles precisavam encontrar algum abrigo. Nas horas seguintes, Lily e os pais se arrastaram pelo pátio da Sacra, pegando cobertores e lençóis descartados para fazerem um tipo de acampamento para a noite. Não estavam sozinhos. Outras famílias judias e chinesas procuravam provisões bem ao lado deles. E, pela primeira vez de que Lily podia se lembrar, os residentes judeus e chineses de Hongkew ajudavam uns aos outros a encontrar suprimentos para sobreviver aos dias seguintes. Os dois grupos tinham suportado aquele desastre e, agora, estavam trabalhando lado a lado, um apoiando o outro para lidarem com aquilo. Um carrinho apareceu do nada e um velho cavalheiro chinês começou a distribuir tigelas fumegantes de arroz. Lily aceitou uma com gratidão e engoliu a comida, de repente reparando em como estava faminta. Não havia comido por mais de um dia. Outra pessoa trouxe de carrinho água limpa e fervida para as pessoas poderem beber e lavar a sujeira e a fuligem dos rostos e das mãos.

Lily reconheceu o dr. Didner correndo pela multidão, distribuindo bandagens e tratando cortes e feridas profundas. Às vezes, ele se curvava sobre uma pessoa que não se mexia havia algum tempo. Depois, Lily o via chamar alguns homens de aparência forte para ajudar. Conforme o corpo sem vida era erguido, todos paravam o que estavam fazendo, baixavam as cabeças e esperavam a procissão passar. Por instinto, Lily ergueu a mão para tocar na cicatriz alta em sua testa. Aquele ferimento parecia tão insignificante agora.

Quando o dia terminou, Lily e os pais tinham recolhido o indispensável para atravessarem aquela noite. Eles se posicionaram em um ponto no campo perto da Sacra. Embora o ar da noite ainda estivesse quente, várias pessoas acenderam fogueiras que iluminavam o pátio. Lily estendeu um cobertor e deitou a cabeça no colo da mãe. Ela olhou para o céu, que estava aceso com milhões de estrelas. Elas brilharam sobre o gueto de Hongkew, jogando um brilho sinistro sobre a devastação. Aqui e ali, uma estrela cadente emergia em um brilho forte e, depois, apagava até não sobrar nada. As estrelas eram reconfortantes. Elas lembraram Lily de que o mundo ainda estava girando, e algumas coisas ainda estavam normais. Ela ainda não sabia o que tinha acontecido com Susie ou Harry ou seus outros amigos da escola. Logo cedo no dia seguinte, tentaria encontrá-los. Não sabia como ou onde eles estariam morando dali em diante, mas tinha certeza de que seus pais cuidariam dela, assim como sempre faziam. Apesar de tudo o que acontecera nos últimos dois dias, Lily sentia-se estranhamente calma. Ela ainda estava viva. Seus pais ainda estavam vivos, e também suas tias e seus tios. Eles ainda estavam juntos, exatamente como papai dissera que sempre estariam.

Susie foi procurar Lily primeiro. Quase logo que ela abriu os olhos na manhã seguinte, Lily viu a amiga andando pela rua na direção do que restara da Sacra. Mesmo a distância, Lily podia ver a expressão alarmada desenhada no rosto da amiga. Lily deu um pulo do chão e correu para encontrá-la. As duas meninas se abraçaram calorosamente.

– Eu queria ter vindo ontem, mas meus pais não me deixaram sair do apartamento – Susie disse.

– Eu também estava preocupada com você.

– Nossa casa não foi atingida, embora tenha tido muito barulho e tremedeira. Mas isto...

Susie apontou para a destruição do prédio de Lily.

– Como vocês enfrentaram isso?

Lily descreveu os eventos do dia anterior, inclusive a decisão de último minuto de correr até o abrigo antibombas em vez da cozinha.

Susie ouviu, os olhos arregalados e solenes.

– Estão dizendo que centenas de pessoas foram feridas ou mortas ontem.

– E poderíamos ter sido também – respondeu Lily. – É um milagre minha família toda ainda estar aqui.

Ela vinha dizendo muito isso nos últimos tempos, percebendo que a linha entre a vida e a morte era muito fina; uma escolha instantânea de ir por este ou por aquele caminho. No dia anterior, elas haviam escolhido bem. Será que sempre teriam essa sorte?

– Nós vamos poder ficar no nosso apartamento. Mas e vocês? – a voz de Susie interrompeu os pensamentos de Lily.

Lily encolheu os ombros.

– Não faço ideia. Mas meu pai já saiu para procurar.

Papai havia se levantado antes do amanhecer e partido em uma missão para encontrar um novo local para a família viver. Logo antes do meio-dia, Lily o viu chegar a passos largos pela rua em direção ao lugar deles no pátio com aquela expressão calma e confiante de novo de volta ao rosto.

– Aqui estão as notícias – ele disse. – Encontrei um lugar para ficarmos. Vamos nos mudar para a Escola Kadoorie. Ela está sendo preparada para famílias judias que perderam suas casas no bombardeio.

Papai parou quando Lily olhou para ele ansiosa.

– Mas isso significa que não vai mais ter escola para você Lily... Pelo menos não por ora.

Lily parou e, depois, um lento sorriso começou a puxar os cantos da sua boca. "Nada mais de escola!" Isso significava nada mais do sr. Meyer e suas voltas ao redor do pátio, nada mais de Geometria, nada mais de ameaças da régua nos nós dos dedos. Aquela era talvez a melhor notícia que ela recebia em muito tempo! Ela deu um pulo e abraçou o pai com força em volta do pescoço.

– Não se preocupe, papai – ela falou. – Prometo que vou ler todo dia. Até vou ajudar na loja de sapatos se você quiser.

O pai lhe deu umas batidinhas nas costas.

– Não tenho certeza se haverá muito trabalho na loja. Teremos que ver o que acontece agora.

Não demorou para Lily e os pais se mudarem para a Escola Kadoorie. Afinal, não havia móveis a levar; nenhum colchão, nenhuma cadeira, nenhuma caçarola nem panela. Algumas das roupas deles haviam sido salvas do prédio instável, mas era tudo. Por milagre, a máquina de costura de mamãe não fora perdida no bombardeio da Sacra. O pai de Lily conseguiu recuperá-la e levá-la com eles.

Outras famílias judias e grupos foram ajudá-los, oferecendo cobertores, pratos e roupas para os que não tinham nada. A JDC, a mesma organização que estivera mantendo um restaurante popular dentro do gueto para refugiados judeus, reforçou seus esforços para obter auxílio da Cruz Vermelha Internacional. Dentro da escola, caminhas de enrolar foram colocadas em todas as salas de aula e as famílias judias foram designadas para as camas onde dormiriam, muitas em cada sala. Lily e a família tiveram mais sorte do que a maioria. Em vez de dividirem um espaço com outros, foram levados para um corredor menor e mais privado onde duas camas haviam sido colocadas lado a lado em frente a uma fileira de janelas. As janelas, no entanto, não traziam nenhuma luz. Estavam cobertas de material de bloqueio. O exército japonês havia ordenado isso para que o gueto ficasse menos visível para qualquer futuro bombardeiro. Uma fina tela de madeira que fora colocada perto das caminhas de enrolar deles servia para separar aquele espaço de outra família. Lily ficou feliz em descobrir que seu amigo Harry iria ficar do outro lado da divisória. Ela encontrou com Harry enquanto estava na rua em uma longa fila para pegar comida.

– Meus pais e eu estávamos visitando parentes do outro lado de Hongkew quando as bombas caíram – Harry explicou quando Lily perguntou como ele conseguira ficar em segurança. – Pensei em você – ele acrescentou. – Ouvi que muitas pessoas tinham sido mortas. Eu não sabia se você tinha sobrevivido ou não.

As notícias sobre mortes por causa do ataque estavam chegando aos montes e eram devastadoras. Trinta e oito refugiados judeus haviam morrido no bombardeio, a maioria soterrada sob prédios que tinham desmoronado em cima deles, assim como o da cozinha ao lado do apartamento de Lily. Mas aquilo nem chegava perto do número de cidadãos chineses que haviam sido mortos. Dr. Didner passou correndo naquela manhã para contar que o número de mortos chineses já era maior do que duzentos. E aquela era apenas uma contagem inicial.

– E, então, há os feridos – ele disse. – Mais de quinhentos... Tanto judeus quanto chineses. Eu nunca conseguirei tratar todos.

As roupas do dr. Didner estavam manchadas com sangue e sujeira. Ele parecia não dormir havia dias. Mas, antes de Lily poder falar alguma coisa, ele saiu depressa, murmurando algo sobre precisar visitar os doentes.

Lily e Harry continuaram a serpentear pela rua até a frente da fila, onde sopa quente estava sendo servida em pequenos potes de lata e passada para os refugiados. Mais uma vez, parte da comida fora trazida pelos cidadãos chineses que estavam abrindo mão do pouco que eles tinham para ajudar seus vizinhos judeus. Embora os chineses tivessem sofrido tanto com o bombardeio, eles também estavam querendo uma vitória americana na guerra contra seus opressores japoneses.

– Meu pai me disse que mais de 250 bombas foram jogadas em Xangai – Lily disse.

Mesmo na Escola Kadoorie, alguém conseguira trazer um rádio de ondas curtas. A maioria dos refugiados podia ser encontrada ouvindo as notícias sobre o bombardeio que chegavam pouco a pouco.

– E poderá ter mais – Harry acrescentou. – É uma luta até o fim agora. Os americanos não vão desistir, e os japoneses não vão ceder.

Naquele dia, ainda havia policiais japoneses patrulhando pelas ruas onde Lily e Harry faziam fila para a comida. No entanto, havia algo diferente na forma como estavam se comportando. Eles continuavam a segurar suas armas prontas, mas a expressão nos seus rostos era mais incerta, como se sentissem que aquele poderia ser um momento de virada para a guerra e o futuro deles. Tinham sumido o escárnio nojento e os gestos ameaçadores.

Ainda era inacreditável para Lily terem sido os americanos quem havia jogado aquelas bombas no gueto e provocado todos os ferimentos e mortes. Eram exatamente eles que deveriam estar salvando-os! Mas papai dissera que era aquilo que acontecia na guerra. Sempre havia pessoas inocentes presas no meio de qualquer batalha. Lily estremeceu. Ela não sabia se o gueto aguentaria outro ataque. Estava morrendo de medo de reviver o que suportara alguns dias antes. O pesadelo das bombas caindo sobre a Sacra ainda passava como um filme de terror na cabeça dela sempre que fechava os olhos.

Harry a cutucou para ir para frente e Lily deu um passo e estendeu seu pote para ganhar um pouco de sopa. Ela sacudiu a cabeça, sem querer pensar no bombardeio. Não havia nada que pudesse fazer sobre aquilo ou o resultado daquela guerra. Por ora, teria de se adaptar a viver na Escola Kadoorie, fazendo fila na rua para conseguir comida e rezando para não haver mais ataques.

Quando Lily voltou para a escola, pôde ouvir um barulhinho vindo de trás da divisória onde ela e os pais estavam vivendo. Quando entrou no pequeno espaço deles, ficou surpresa por ver a mãe debruçada sobre a máquina de costura.

Sua linha estava flutuando para cima e para baixo enquanto mamãe empurrava um tecido pela placa de metal.

– Você vai trabalhar, mamãe? – Lily perguntou.

Mamãe fez que não com a cabeça.

– Não há trabalho para mim agora – ela respondeu. – O exército japonês cancelou todas as permissões que nos deixavam sair de Hongkew.

– Então, o que você está fazendo?

Lily apontou para os pequenos quadrados de material que cobriam a máquina de costura de mamãe.

– Estou fazendo um novo jogo para você – ela respondeu, sorrindo. – Você não tem aula e eu não tenho trabalho. Então, todos nós vamos precisar de algumas novas atividades.

Mamãe entregou a Lily alguns remendos de 5 cm que ela costurara, deixando uma pequena abertura.

– Encha este saquinho com um pouco de terra do lado de fora e eu vou terminar de costurar.

Em pouco tempo, Lily e mamãe tinham feito meia dúzia daqueles pequenos sacos. Lily reuniu Susie, Harry e algumas das outras crianças na escola para testarem o novo jogo. O objetivo era jogar os seis saquinhos no ar ao mesmo tempo e ver quantos cada um conseguia pegar com uma mão. Logo, Harry tinha pensado em outro jogo novo. Ele conseguiu alguns maços de cigarro vazios e jogou-os no chão.

– Vamos ver quem consegue atirar o maço mais longe – ele disse, pegando um e lançando-o pelo corredor vazio da escola.

Ele caiu e escorregou pelo chão. Um a um, Lily e os amigos fizeram fila para ver quem conseguia atirar o maço mais longe que o de Harry.

Os dias seguintes passaram depressa enquanto Lily e os amigos inventavam jogo após jogo para ocupar o tempo. Mamãe e papai e vários outros pais costumavam ficar lá para observar de fora. Como mamãe, muitos outros adultos estavam sem poder sair do gueto e ir para seus empregos em Xangai. O pai de Lily praticamente tinha fechado a loja também. Às vezes, ele ia até lá para garantir que não havia nenhum saqueador tentando invadir e roubar os poucos materiais que ele ainda tinha. Porém, ninguém estava fazendo muitas compras naqueles dias. Lily e a família tinham sorte em ter a fila para a sopa e algum abrigo.

Embora os jogos dentro da Escola Kadoorie fossem interessantes e fizessem o tempo passar, os perigos e as más notícias simplesmente não paravam. Vários dias depois de eles terem se mudado para a escola, papai soube que tio Willi tinha sido ferido enquanto ajudava a tirar alguns destroços de um prédio que fora bombardeado. Como dr. Didner, Willi não tinha parado de ajudar nos esforços de resgate. De manhã até a noite, ele tinha erguido madeiras e pedras, ajudado a retirar corpos de debaixo de estruturas derrubadas e levado comida e provisões para os refugiados com necessidades. Porém, vários dias antes, ele havia caído ao subir em uma pilha de entulho. Alguns fios cheios de pontas tinham feito cortes profundos na perna dele.

– O dr. Didner fez pontos, mas tenho medo de que infeccione – papai disse a Lily. – Não há nada que o médico possa fazer para tratar o ferimento.

Eles foram ver Willi naquela noite. Ele estava deitado em sua cama no apartamento de Stella e Walter, os olhos fechados, respirando em fôlegos curtos. Sua pele estava acinzentada e suor salpicava sua testa. Meckie estava deitado no chão ao lado do dono, choramingando baixinho para Willi acordar. No começo, Lily ficou afastada do tio. Ela nunca o vira daquela forma e ficava assustada por vê-lo tão doente. Depois, ela respirou fundo e aproximou-se da cama dele, ajoelhando-se à sua frente.

– Por favor, não morra, tio Willi – ela sussurrou. – Eu até deixo você me contar algumas histórias de fantasma. Você pode me provocar o quanto quiser e não vou me importar.

Atrás dela, Lily podia ouvir suas tias chorando baixinho.

– Não sei se Willi vai sobreviver – papai sussurrou. – Você precisa se preparar, Lily.

Ela empurrou o pai para longe, brava. "Isso não deveria acontecer. Minha família vai ficar unida, como você sempre prometeu."

– Não preste atenção nele, Willi. Apenas prometa que não vai morrer – Lily repetiu.

– Ele não consegue ouvi-la de verdade, querida.

Mamãe foi ficar ao lado da filha.

– Você não sabe – Lily respondeu, teimosa.

Tio Willi ficou em coma por dias, preso por um fio naquele lugar entre a vida e a morte. Lily e os pais o visitavam sempre que podiam. E Lily continuou a falar com o tio, contando a ele histórias sobre os jogos que ela e os amigos tinham inventado na Escola Kadoorie, o que Harry ou Susie ou um dos outros amigos dela havia dito, que livro ela tinha encontrado na livraria da escola. Dr. Didner estava lá em uma das visitas de Lily. Ele parecia exausto, como se tivesse testemunhado mortes demais desde o bombardeio de Hongkew. Lily observou enquanto ele colocava a mão na testa de Willi, verificando se a febre havia cedido. Depois ele se levantou e fez que não com a cabeça.

– Você pode por favor ajudar? – Lily implorou.

Dr. Didner suspirou e virou para o outro lado.

– Sem remédios. Sem suprimentos.

– Mas você me ajudou quando eu cortei a minha testa – Lily insistiu. – Deve ter algo que você possa fazer.

Meckie choramingou baixinho do seu posto de vigilância no chão.

– Eu queria que houvesse mais – dr. Didner murmurou antes de sair pela porta para visitar o paciente seguinte.

Lágrimas jorraram dos olhos de Lily quando ela se deixou cair na cama do tio e apoiou a cabeça ao lado do braço sem vida dele.

E, então, um dia, quando Lily e os pais entravam no apartamento de Stella e Walter, foram recebidos pela visão pela qual quase tinham parado de esperar. Willi estava acordado, sentado, apoiado com travesseiros empilhados atrás da cabeça e das costas. Meckie estava ali como sempre, ofegando feliz dessa vez. Stella tinha preparado um pouco de sopa e Willi a estava bebericando. Ele abriu um sorriso fraco para a sobrinha.

– Bem-vindo de volta – Lily disse, quase pulando de alegria.

– Acho que, em algum lugar no fundo da minha mente, eu conseguia ouvir sua voz – Willi falou.

Ele estava tão fraco que Lily teve de se inclinar para perto para ouvi-lo sussurrar.

– Eu sabia! – ela afirmou. – Todos me disseram que você não iria me ouvir. Mas eu sabia que você ouviria.

– Obrigado – falou o tio Willi. – Acho que você me ajudou de verdade.

Lily abriu um sorriso largo. Era mais um milagre para a família dela; um que parecia enorme.

O bombardeio continuou por muitas semanas mais, mantendo Lily e os residentes do gueto em um estado constante de grande alerta. Primeiro, as sirenes começavam a gritar, sinalizando a aproximação dos pilotos de bombardeiro. Todos congelavam, perguntando-se se as bombas explodiriam em cima deles. Depois que a sirene que avisava que tudo estava bem soava, os moradores podiam dar um suspiro profundo de alívio e continuar com suas atividades. Durante as primeiras semanas depois da chegada deles à escola Kadoorie, as sirenes tocavam com tanta frequência que os pais de Lily não a deixavam sair da nova casa deles, nem mesmo da vista deles. Porém, Lily implorava para sair.

– É tão chato passar cada minutinho dentro da escola – ela argumentou.

Era bom poder brincar com os amigos nos corredores, mas Lily ansiava por estar a céu aberto, vagando pelas ruas do gueto como sempre fizera.

– Por favor, deixem que eu saia. Prometo que vou ter cuidado.

Mamãe e papai trocaram olhares cansados e, enfim, cederam aos pedidos persistentes dela. Afinal, a Escola Kadoorie não era mais protegida do que qualquer outra parte de Hongkew, e Lily provavelmente estava tão segura do lado de fora quanto estava do de dentro. Papai tinha uma última instrução para Lily enquanto ela saía pela porta.

– Se as sirenes soarem, simplesmente se abaixe no chão – ele disse para ela. – Não tente correr em busca de abrigo. Fique onde estiver.

Com essa promessa feita, Lily disparou para fora da escola para passear com Susie. Era um dia claro do começo de agosto e, embora seu coração estivesse sufocado, Lily podia pelo menos aproveitar o céu azul. As meninas foram para um campo aberto nos arredores de Hongkew. Elas procuraram qualquer coisa que tivesse sido jogada ali e pudesse ter valor. Outras pessoas estavam no campo também, tentando salvar pedaços de madeira e entulhos que tinham sido descartados depois do bombardeio. Ratos e camundongos apareceram do nada, um perseguindo o outro no que era quase um jogo de pega-pega. Com muito menos comida no gueto, os camundongos estavam ficando mais ousados, e parecia haver mais deles do que nunca.

Conforme Lily e Susie abriam caminho na grama empoeirada, de repente foram assustadas pelo choro das sirenes, alertando para a aproximação de bombardeiros. Era o sinal que todos temiam. O barulho dos alarmes era ensurdecedor; um pranto agudo que vinha de alto-falantes espalhados pelos postes das ruas e pelos prédios. Por toda a volta das meninas, as pessoas começaram a correr do campo, com as mãos em cima da cabeça, como se isso fosse de alguma forma protegê-las. Susie agarrou a mão de Lily, querendo se juntar à multidão e seguir para algum tipo de abrigo.

– Vamos sair daqui – Susie gritou por cima do berro das sirenes.

Os pés de Lily continuaram plantados com firmeza no chão. Por mais que ela também quisesse correr em busca de abrigo, sabia que não era necessariamente a melhor coisa a fazer. Lembrou-se do prédio da cozinha que tinha desmoronado com tantas pessoas dentro, sem falar da Sacra, que fora fatiada ao meio... E lembrou-se da promessa ao papai.

– O que você está esperando? – gritou Susie enquanto puxava o braço de Lily.

Lily puxou de volta, com força.

– Abaixe-se, Susie. Temos que ir para o chão.

Com uma força que ela não sabia que tinha, Lily puxou Susie para ficar de joelhos e, depois, empurrou-a, com o rosto para baixo, até a terra. Em seguida, ela caiu no chão ao lado da amiga. As duas meninas cobriram as cabeças com os braços e esperaram.

As sirenes continuaram a gritar e agora o estrondo dos motores de aviões se aproximando se juntaram a elas. O barulho dos motores ficou mais alto e ensurdecedor até Lily pensar que estava praticamente em cima delas. O coração de Lily bateu forte, quase mantendo o ritmo do pulsar dos motores. Ela cobriu os ouvidos e rezou para as instruções do papai, de ficar no mesmo lugar, provarem ser certas. Susie estendeu a mão, encontrou a mão de Lily e apertou-a com força. Lily devolveu o gesto.

E, então, Lily começou a sentir que os bombardeiros estavam passando por cima delas e desaparecendo. O ronco dos motores dos aviões afastou-se mais. A distância, havia um som agudo de assobio, e Lily sentiu a terra abaixo dela tremer um pouco conforme as bombas explodiam. Mas nada caiu perto delas. Os aviões haviam jogado seus explosivos em outra parte de Xangai. Hongkew estava seguro dessa vez, assim como Lily e Susie.

Ainda passou-se um tempo antes de as meninas erguerem as cabeças e olharem ao redor. Um homem estava deitado na terra a vários metros de Lily. No começo, ela teve medo de que ele estivesse morto. Porém, ele de repente levantou a cabeça e encarou as meninas. Um sorriso lento espalhou-se pelo rosto dele.

– Não precisam ter medo – ele disse. – Eles não vão fazer nada.

Lily franziu as sobrancelhas. "Como ele pode saber isso?" Os americanos já tinham jogado bombas neles uma vez antes, então o que os impediria de fazer isso de novo? Ela se levantou e puxou Susie consigo. Depois, encarou a amiga e explodiu em risadas. O rosto de Susie estava coberto de poeira do topo da testa até a ponta do queixo. Era como se alguém a tivesse pintado com giz branco.

– Você parece um daqueles dançarinos de *kabuki* – ela enfim soltou.

Ela tinha visto fotos dos dançarinos japoneses com seus rostos pintados com maquiagem branca espessa.

Susie sorriu de volta.

– Olha quem fala – ela respondeu. – Sua mãe ficaria com medo de olhar para você agora.

– Vamos sair daqui – Lily falou entre as explosões de risadas. – Acho que vou ficar feliz em brincar dentro de casa por um tempo.

Mamãe e papai estavam esperando ansiosos por Lily quando ela enfim entrou na escola. Lily explicou que ela e Susie tinham sido pegas no campo aberto quando as sirenes dispararam.

– Eu fiz exatamente o que você me disse para fazer, papai – ela disse. – Susie e eu não corremos. Apenas deitamos no chão e esperamos os aviões passarem.

Seu pai fez que sim com a cabeça, aprovando.

– Não houve ataques no gueto desta vez. E não acho que Hongkew vai ser atacado de novo. Mas os americanos não vão desistir. Acho que vamos ouvir essa sirene muito mais de agora em diante.

Papai estava certo. Nos dias seguintes, houve ataques aéreos repetidos sobre Xangai e outras partes da China. Nenhuma bomba caiu em Hongkew, embora isso nunca tenha impedido Lily de se jogar no chão sempre que ouvia as sirenes antiaéreas começarem a choramingar. E, então, papai começou a comentar sobre um tipo diferente de explosivo sobre o qual ouvira falar.

– Os americanos estão trabalhando em uma bomba que usa energia atômica – ele disse certa tarde enquanto Lily e os pais estavam sentados nas suas camas comendo o almoço que tinham pegado na fila para comida.

Naquele dia, era arroz cozido e feijão preto; não muito apetitoso, mas pelo menos enchia o estômago de Lily.

Ela parou entre as garfadas da refeição e levantou o olhar.

– O que é isso, papai? – ela perguntou.

– Um novo tipo de combate – ele respondeu. – Essas novas bombas são presas a paraquedas e explodem no ar. Não entendo inteiramente como funcionam. Mas são maiores e mais poderosas do que qualquer bomba que já foi desenvolvida. E devem destruir tudo abaixo delas por muitos quilômetros. Não se preocupem – ele falou depressa, reparando nos olhares instantâneos de pânico nos rostos de Lily e da sua mãe. – Os americanos não vão cometer o erro de jogar essas bombas em Xangai. Eles a estão reservando para o Japão. E, acreditem em mim – ele acrescentou –, se os americanos jogarem bombas atômicas no Japão, vão parar no mesmo momento essa guerra no Pacífico. Acho que até poderemos ver as chamas daqui.

Enquanto mamãe e papai continuavam a conversar, Lily logo terminou seu almoço. Ela desceu correndo as escadas, passando por Harry, que a olhou com curiosidade conforme ela disparava.

– Explico mais tarde – ela gritou por cima do ombro enquanto seguia para fora das portas da Escola Kadoorie e ia para a calçada.

Uma vez lá fora, Lily ficou em pé e levantou os olhos para o céu. Era um dia enevoado, quase tanto quanto no dia em que as bombas haviam caído pela primeira vez no gueto de Hongkew. Mas não era isso que ela estava olhando. Papai dissera que, se os americanos jogassem uma bomba atômica no Japão, seríamos capazes de ver as chamas aqui de Xangai. E isso seria o sinal de que a guerra no Pacífico tinha acabado. Lily espiou para cima, esforçando-se para ver qualquer coisa no céu que se parecesse com uma chama. A neblina grossa espalhava-se pelo horizonte. Algumas aves flutuavam em uma brisa, desaparecendo e reaparecendo na cobertura formada pelas nuvens. Mas era tudo. Ela deu um suspiro profundo e virou-se para voltar para dentro da escola, sabendo que teria de esperar mais para que a guerra acabasse.

Agosto de 1945

No final das contas, Lily não teve que esperar tanto quanto pensara para os eventos que trariam o fim da guerra no Pacífico. Em 6 de agosto de 1945, apenas três semanas depois do bombardeio de Hongkew, os Estados Unidos jogaram a primeira bomba atômica em uma cidade japonesa chamada Hiroshima. A bomba era chamada de *Little Boy* (menininho), um código que se referia ao fato de a bomba ter o formato de um tubo fino. Três dias depois, em 9 de agosto, os Estados Unidos jogaram uma segunda bomba atômica ainda maior na cidade de Nagasaki. O codinome dessa era *Fat Man* (homem gordo). Todas as famílias judias dentro da Escola Kadoorie estavam reunidas em volta do rádio de ondas curtas na noite em que o presidente Truman dos Estados Unidos deu a notícia.

> *Nós ganhamos a corrida pela descoberta [da bomba atômica] contra os alemães. Usamos o poder dela para diminuir a agonia da guerra e salvar as vidas de milhares e milhares de... soldados. Vamos continuar a usá-la até termos destruído completamente o poder do Japão de criar guerra. Apenas a rendição japonesa vai nos parar.*[6]

O presidente Truman continuou dizendo que o Japão tinha começado a guerra em Pearl Harbor e, agora, os americanos iriam terminá-la em Hiroshima e Nagasaki.

---

[6] <http://www.youtube.com/watch?v=e9_d14YRvIU>.

Lily estremeceu ao ouvir a transmissão. Por mais aterrorizante que tivessem sido as bombas em Hongkew, havia algo ainda mais assustador naquelas novas armas atômicas que tinham explodido no Japão. Papai dissera que ele não entendia por completo o poder delas, mas que podiam varrer tudo em seu caminho. Isso significava não apenas construções e bases militares mas também pessoas: homens, mulheres e crianças que estariam indefesos contra as forças daquela arma. O presidente americano dissera que aquela bomba atômica era 2 mil vezes mais poderosa do que qualquer arma que já fora usada até então. Lily tinha rezado pelo fim da guerra desde que podia se lembrar. Mas valia a pena a destruição em massa que aquele tipo de bomba podia gerar? Quando Lily fez essa pergunta para seus pais, ninguém sabia responder de verdade. Papai apenas fez que não com a cabeça e disse:

– Vai significar a nossa liberdade, Lily. E a liberdade de todos os refugiados judeus aqui em Hongkew. E é melhor os americanos terem esse poder do que os nazistas ou o exército japonês – ele acrescentou.

Lily não tinha certeza. As notícias continuaram a chegar aos montes nos dias seguintes.

Os Estados Unidos pedem a rendição incondicional do Japão.
Os esforços não serão reduzidos até a paz ser declarada.
Está programada a rendição do imperador Hirohito do Japão.

Todos na Escola Kadoorie permaneceram colados no rádio. Cada vez que uma dessas notícias era transmitida, eles comemoravam. Os homens batiam nas costas uns dos outros e as mulheres se abraçavam. Gritos de aprovação e animação ecoavam pelos corredores da escola.

– É apenas uma questão de dias – todos diziam. – Talvez horas.

Ninguém queria sair de perto do rádio por medo de perder o anúncio há tanto tempo aguardado: a notícia de que a guerra tinha acabado.

Muitos dias depois, em 15 de agosto, Lily acordou de um sono profundo. Ela se esticou na cama e, depois, levantou depressa, querendo ir lá para fora e entrar na fila de comida antes que ficasse longa demais. Já era muito difícil fazer fila dia após dia para cada refeição. Era pior se levava horas para chegar à frente. Mamãe e papai ainda estavam dormindo. Isso era incomum; eram eles que sempre acordavam antes do amanhecer. Mas tinham ficado acordados até tarde da noite, ouvindo notícias no rádio com outras famílias.

Lily tentou ser a mais silenciosa possível, sabendo o quanto os pais precisavam desse sono extra. Ela guardaria lugar para eles na fila para a comida; talvez até levasse a comida para eles para não terem de pegar fila nenhuma. Seria um bom presente. Ela se vestiu depressa e disparou pelo corredor em direção às portas.

Assim que estava do lado de fora, ela levantou o olhar. Estava virando um novo hábito. Procurava no céu sinais das chamas de que papai falara vindas daquelas novas bombas atômicas. Algumas notícias recentes diziam que nada ficava com vida até 1,5 km a partir do ponto onde aquela arma tinha acertado; era quão poderosa ela era. O número de mortes que estavam sendo relatadas no Japão estava em dezenas de milhares. E era apenas o começo. As estimativas eram de que centenas de milhares de japoneses podiam ter sido mortos. Ainda não fazia sentido para Lily milhões de judeus terem perecido na Europa, milhares de soldados terem morrido em batalha e agora centenas de milhares de cidadãos japoneses podiam ter sido mortos.

Ainda estava cedo, e o sol estava apenas nascendo no horizonte. Seria mais um dia quentíssimo. Lily já estava sentindo um calor intenso e sabia que apenas ficaria pior conforme o dia continuasse. Ainda não havia sinal de chamas, ela reparou enquanto dava pulinhos até a rua e seguia para a fila da comida. Já tinha uma multidão se juntando e, no começo, Lily pensou que os outros haviam se levantado ainda mais cedo do que ela e chegado antes à fila. Haveria muito menos comida se ela não chegasse à frente depressa.

Porém, havia algo diferente na multidão naquela manhã e na energia que Lily podia sentir nas ruas de Hongkew.

Residentes judeus e chineses estavam correndo em todas as direções. Todos estavam falando e apontando para os becos e ruelas. Os guias de riquixás estavam sorrindo enquanto passavam correndo.

Lily viu Susie disparando pela rua em sua direção.

– Você ficou sabendo? – Susie gritou.

O barulho na rua estava começando a aumentar, assim como o número crescente de pessoas.

– Sabendo o quê?

– Eles se renderam! Os japoneses se renderam!

Susie estava rindo e falando tão depressa que Lily mal conseguia entender o que ela acabara de dizer. Ela ficou parada no lugar, com a boca escancarada, encarando a amiga. Susie enfim girou Lily e apontou ao longo da rua.

– Dê uma boa olhada ao redor – Susie gritou. – O que você vê?

Lily olhou por muito tempo e com atenção para a multidão cada vez maior. Além do fato de todos parecerem muito felizes, era difícil, no começo, reparar em algo diferente. E, então, ela percebeu. Não havia policiais japoneses patrulhando as ruas de Hongkew, exigindo ver documentos de identificação. Não havia guardas no final da Avenida Yuhang Leste, impedindo que as pessoas fossem aonde quisessem. O arame farpado que fizera um bloqueio no fim da rua tinha sumido! A rua aberta praticamente chamava Lily e todos os refugiados judeus de Hongkew, acenando para eles saírem do gueto e cruzarem para a parte livre de Xangai pela primeira vez em anos. E, quando Lily olhou ao redor, percebeu que a bandeira japonesa não balançava mais em cada poste de rua e cada construção. Todas as bandeiras, junto com as patrulhas japonesas e as barricadas, tinham desaparecido.

Lily virou-se para Susie e um lento sorriso começou a se arrastar pelo seu rosto. A guerra tinha acabado. O dia da libertação havia chegado. Todos eles enfim estavam livres.

Depois que a guerra acabou, Lily (na extrema esquerda) frequentou a Escola Judaica de Xangai em Frenchtown.

Posfácio

O gueto de Hongkew foi oficialmente libertado em 3 de setembro de 1945, quando soldados americanos enfim começaram a aparecer nas ruas. Eles foram recebidos como heróis tanto pelos residentes chineses quanto pelos refugiados judeus. Levaram sorvete para Lily e as outras crianças do gueto e tinham rostos gentis e amigáveis. Nos dias seguintes, houve comemorações por toda parte em Hongkew. Bandeiras azuis e brancas com a estrela de davi foram erguidas pelo gueto. As pessoas lotaram as ruas para dançar e desfilar e comemorar. A liberdade enfim chegara e todos aproveitavam aquela doce sensação.

Lily e a família começaram a planejar onde e como iriam viver. A Escola Kadoorie havia sido um lar temporário e estava na hora de encontrar um novo apartamento. Por fim, o pai de Lily achou um lugar para a família. Ainda tinha apenas um aposento, embora fosse um pouquinho maior do que aquele onde eles tinham morado ao se mudarem para Hongkew. Infelizmente, esse apartamento tinha os temidos banheiros com baldes, que tinham de ser esvaziados todos os dias por *coolies* chineses que vinham com seus carrinhos, derramando resíduos marrons e fedidos. A família morou ali apenas por um curto tempo antes de papai encontrar para eles um novo apartamento em cima de uma loja, com banheiros com descarga, uma banheira funda e uma cozinha!

Lily e os pais permaneceram em Xangai por vários anos depois de a guerra acabar. Durante esse tempo, mamãe e papai voltaram a trabalhar e Lily frequentou a Escola Judaica de Xangai, que ficava em Frenchtown, onde eles tinham morado logo que chegaram. Lily ia para lá todo dia em um "ônibus escolar", que era na verdade apenas um caminhão aberto com bancos, uns de frente para os outros, na parte de trás. Muitos dos amigos de Lily, inclusive Susie, também iam para lá. Lily e os pais também começaram a viajar pela

Depois da guerra, Lily e a família puderam tirar férias no interior da China. Essa é Lily na piscina, na parte de baixo da foto.

China, fazendo passeios e tirando férias no interior juntos. A comida era mais farta, graças aos soldados americanos e grupos de auxílio aos judeus que forneciam suprimentos. A vida começou a parecer um pouco normal.

Porém, nos meses depois do fim da guerra, todos os detalhes do Holocausto na Europa começaram a chegar aos judeus de Xangai. Listas com nomes de pessoas que haviam perecido nos campos de extermínio eram colocadas nas paredes dos prédios, inclusive na sinagoga. Os refugiados corriam para ler os nomes nos quadros e, depois, caíam na rua ao perceberem que pais, irmãos, tias, tios e amigos estavam todos mortos. O clima de júbilo que tinha se seguido à libertação de Hongkew foi substituído pela tristeza devastadora que aquelas notícias traziam. Embora os judeus que foram aprisionados no gueto de Xangai tivessem suportado muitas dificuldades durante a guerra, eles começaram a entender o quanto mais seus amigos e parentes tinham sofrido na Europa. Lily e a família nunca esqueceram a sorte incrível que tiveram por eles e os familiares terem conseguido escapar e continuar juntos durante esse tempo.

Muitos dos amigos de Lily escreveram no seu livro de assinaturas especial.

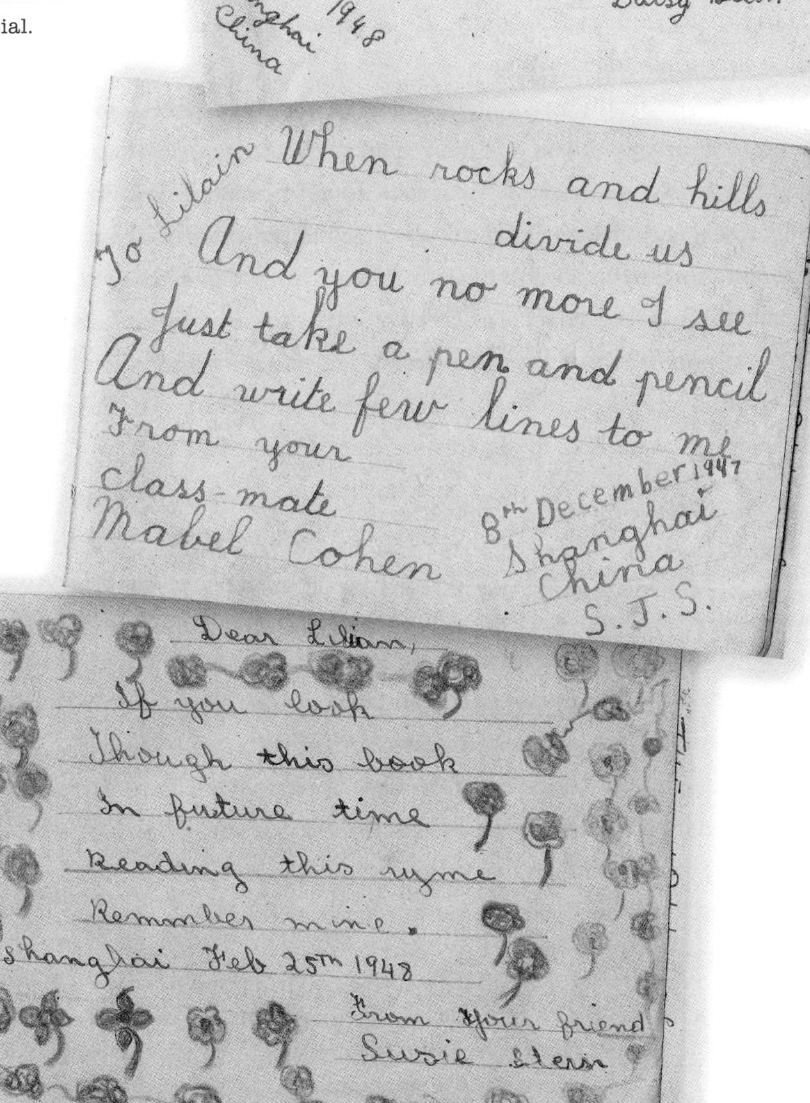

Dear Lily,

True friends are like diamonds,
Precious and rare.
False friends are like autumn leaves,
Scattered everywhere

Jan. 17th 1948
Shanghai
China

From your friend
Daisy Blum

To Lilain When rocks and hills
divide us
And you no more I see
Just take a pen and pencil
And write few lines to me
From your
class-mate
Mabel Cohen
8th December 1947
Shanghai
China
S.J.S.

Dear Lilian,
If you look
Though this book
In future time
Reading this ryme
Remember mine.
Shanghai Feb 25th 1948
From your friend
Susie Stern

Alguns anos depois do fim da guerra, famílias judias começaram a fazer planos de deixar Xangai. Algumas queriam voltar para suas casas na Europa. Outras queriam começar novas vidas no exterior, em países como o Canadá, os Estados Unidos e a Austrália. Susie e a família saíram de Xangai, primeiro para Israel e, depois, para Viena, onde queriam tentar reconstruir suas vidas. Por fim, Susie acabou indo para a Inglaterra, onde mora até hoje. Ela se casou e tem três filhos e cinco netos. Susie e Lily ainda mantêm contato.

Harry e sua família receberam vistos para irem à Austrália. Lily não tem contato com ele desde essa época.

Nini e Poldi saíram de Xangai quando receberam documentos que permitiam que fossem para o Canadá. Eles se estabeleceram em Toronto, onde Poldi tinha um primo. Com eles estavam seus dois filhos pequenos, uma filha chamada Vivian, que nascera em Hongkew logo depois do fim da guerra, e um bebê menino, nascido em Guam, no caminho de Xangai para Toronto.

Willi se casou depois que a guerra acabou. A mais nova tia de Lily era uma jovem chamada Susi, que Willi conheceu no gueto. Lily foi madrinha do casamento deles, realizado na Sinagoga Ohel Moshe, o lugar onde os judeus do gueto de Xangai tinham rezado durante a guerra.

Em 1948, Lily e os pais perceberam que precisavam sair de Xangai. A China estava ficando instável de novo. Um novo tipo de regra política chamado comunismo estava começando a criar raízes em Xangai, onde o Exército Comunista Chinês estava prestes a assumir o comando. Nessa época, diplomatas e oficiais do governo americano tinham saído de Xangai e os empregos estavam ficando escassos para quem não era chinês. Novas regras e restrições estavam sendo impostas por esse novo governo comunista. Era hora de Lily e os pais encontrarem um novo país onde viver. Eles queriam ir para o Canadá ficar com Nini e Poldi. A reverenda Lawler, a amiga deles da Casa dos Missionários, até escreveu uma carta para ajudar no pedido de documentos para poderem sair de Xangai. Porém, os únicos vistos que conseguiram foram para a América do Sul. Eles os aceitaram e saíram de Xangai no final de 1948.

Depois da guerra, Lily ficou muito feliz quando seu tio Willi se casou com uma jovem chamada Susi. Willi e a noiva estão retratados no centro. Lily está na frente da noiva. Sua melhor amiga, Susie Stern, está na frente do noivo.

Lily levou esse pedaço de couro pintado à mão com ela para o Canadá quando saiu de Xangai.

Foi com sentimentos confusos que Lily e os pais saíram de Xangai a bordo de um grande navio muito parecido com o que os levara para lá dez anos antes. Aquela cidade havia permitido que eles entrassem quando poucos outros países do mundo tinham oferecido o mesmo refúgio. E, embora a vida em Xangai tivesse sido difícil, eles sobreviveram quando muitos dos seus amigos que ficaram para trás na Europa não viveram. Por isso, a família de Lily seria eternamente grata. Mas a verdade era que Xangai nunca fora a cidade que Lily e a família teriam escolhido como lar se não fosse pela guerra que os forçara a sair da Áustria. Os judeus da Europa e os cidadãos chineses de Xangai tinham se tornado aliados improváveis em uma luta longa e difícil que enfim acabara. Era hora de Lily dizer adeus para Xangai e olhar à frente para um novo capítulo na sua vida.

No caminho para a América do Sul, Lily e os pais pararam em Toronto para visitar Nini e Poldi. Eles nunca saíram da cidade e, por fim, tornaram-se cidadãos canadenses. Stella e Walter, junto com Willi e a esposa, acabaram por se juntar a eles. A família de Lily abriu uma mercearia na cidade e, mais tarde, comprou uma fazenda no norte de Toronto. Os pais de Lily tiveram outro filho em 1952; um amado irmão para ela chamado Ronnie. Lily terminou os estudos e, em 1958, conheceu e se casou com Jimmy Lash, que tinha sobrevivido ao Holocausto no gueto de Lodz na Polônia e, depois, no campo de concentração de Auschwitz. Lily e Jimmy ainda moram em Toronto e têm dois filhos e dois netos. Infelizmente, Ronnie faleceu em 2009.

Lily sentiu um misto de emoções quando ela e a família saíram de navio de Xangai em 1948, seguindo para a América do Sul.

Lily Toufar Lash ainda mora em Toronto. Ela e o marido têm dois filhos e dois netos.

Em 1988, Lily viajou de volta para Xangai para a primeira e única visita desde o fim da guerra. Foi uma viagem curta, mas pôde ver o que restava do gueto de Hongkew. Ela encontrou o lugar onde a Sacra tinha existido. Também conseguiu achar a Escola Judaica de Xangai, que frequentou depois da guerra.

Hoje, muitas das evidências de que existiu vida judaica em Hongkew durante a guerra desapareceram. Ainda há alguns prédios em pé, onde milhares de refugiados moraram durante aquele tempo, embora a maioria esteja terrivelmente sem manutenção; ainda pior do que quando abrigavam os judeus. Nos últimos anos, a Sinagoga Ohel Moshe foi restaurada e agora é o Museu de Refugiados Judeus de Xangai. Está cheio de fotografias e artefatos que documentam a história dos refugiados judeus que viajaram para Xangai durante a guerra e encontraram segurança. Também há um monumento no Parque Huoshen em Hongkew dedicado a refugiados judeus, como Lily, que moraram lá. Sobreviventes do gueto de Xangai vivem espalhados no mundo e, até hoje, muitos se referem à cidade como sua "arca de Noé", um lugar que os recebeu quando poucos países no mundo estavam dispostos a fazer o mesmo.

Agradecimentos

Fazia anos que eu queria escrever uma história sobre o gueto de Xangai. Sempre pareceu notável para mim que essa cidade tenha abrigado tantos refugiados judeus em uma época em que poucos lugares no mundo estavam dispostos a fazer o mesmo. Porém, eu precisava encontrar a pessoa certa, aquela cuja história em Xangai eu pudesse representar em um livro. Fiquei muito animada e tive sorte de encontrar Lily Toufar Lash.

Lily é fantástica. Ela é inteligente, cheia de energia e engraçada, além de carinhosa, hospitaleira e gentil. Foi uma alegria conhecê-la, e eu adorei cada minuto que passamos juntas. Obrigada, Lily, pela comida e as flores que sempre me recebiam. E obrigada por suportar minhas perguntas infinitas e abrir seu baú da memória! Você transformou este projeto em um trabalho de amor. Obrigada também ao marido de Lily, Jimmy, pelas conversas interessantes, e à filha de Lily, Shari, por seus *insights* e seu apoio. Muitas das fotos de família foram tiradas pelo tio de Lily, Willi, e eu agradeço à família por permitir o uso dessas imagens maravilhosas.

A autora Kathy Kacer visitou esse monumento no Parque Huoshen em Hongkew, dedicado aos refugiados judeus que moraram ali durante a Segunda Guerra Mundial.

Como posso sequer começar a agradecer a Margie Wolfe da Second Story Press? Margie é uma força no mundo editorial: incrivelmente astuta, compassiva e determinada. Não há como expressar o quanto sou grata pela parceria que desenvolvemos na criação dos meus oito livros com a SSP, e estou ansiosa para muitos mais. Eu não teria a carreira de escritora que tenho hoje se não fosse por Margie.

Essa foi minha primeira oportunidade de trabalhar com Kathryn Cole como editora. Kathryn tem um olho treinado para os elementos importantes de uma boa história e ela me forçou a destacar esses detalhes fundamentais neste livro. Sempre ficamos um pouco nervosos ao abrir nosso trabalho para uma nova editora. Mas Kathryn tornou essa experiência confortável e enriquecedora.

Obrigada como sempre a Carolyn Jackson, por sua enorme atenção a detalhes, por pegar o bastão da edição com Kathryn e carregar o livro até sua conclusão. Obrigada também a Emma Rodgers - guru de marketing - e a Phuong Truong e Melissa Kaita. Vocês todos são incríveis.

Um agradecimento especial para meu amigo Joel Gotlieb, por me apresentar a Lily, e à minha nova vizinha, Cecilia Siu, e seu filho por me ajudarem com a tradução de alguns documentos chineses.

Por fim, e sempre, obrigada à minha família e aos meus amigos. À Rose, que é a minha melhor amiga na vida; às minhas "moças", que trabalharam sobre os tijolos comigo; aos Dennills, aos Kagans, aos Epsteins, aos Adlers e aos seus filhos, que enriqueceram minha vida de tantas formas. E ao meu maravilhoso marido, Ian Epstein, e a meus filhos, Gabi Epstein e Jake Epstein, eu os amo e sou grata pelo amor e risadas que vocês me dão de volta.

Créditos das fotos

Fotos de capa: cortesia de Lily Lash e da família de Willi Karpel, FreeImages.com/Andrea Kratzenberg, FreeImages.com/Marija
página 8: cortesia de Lily Lash e da família de Willi Karpel
página 9: cortesia de Lily Lash e da família de Willi Karpel
página 9, direita: © Christian Kadluba
página 17, ambas: cortesia de Lily Lash e da família de Willi Karpel
página 29: cortesia de Lily Lash e da família de Willi Karpel
página 30: cortesia de Lily Lash e da família de Willi Karpel
páginas 42-43: United States Holocaust Memorial Museum (USHMM), cortesia de Ralph Harpuder
página 46: cortesia de Lily Lash e da família de Willi Karpel
página 47: cortesia de Lily Lash e da família de Willi Karpel
página 56: © Yad Vashem
página 63: USHMM, cortesia de Eric Goldstaub
página 64: USHMM, cortesia de Eric Goldstaub
página 76: cortesia de Lily Lash e da família de Willi Karpel
páginas 84-85: USHMM, cortesia de Ralph Harpuder
página 89: cortesia de Lily Lash e da família de Willi Karpel
página 95: cortesia de Lily Lash e da família de Willi Karpel
página 99, ambas: cortesia de Lily Lash e da família de Willi Karpel
página 100: USHMM, cortesia de Ralph Harpuder
página 103: USHMM Beit Hatfutsot Comite International de la Croix Rouge YIVO Institute for Jewish Research, cortesia de Ernest G. Heppner Yair Hendl
página 104: cortesia de Lily Lash e da família de Willi Karpel
página 117: © Yad Vashem
página 124: cortesia de Lily Lash e da família de Willi Karpel
página 133: USHMM, cortesia de Mary Catalina (coleção Siegmund Sobel)
página 156: USHMM, cortesia de Ernest G. Heppner
página 156, inserção: USHMM Museum Beit Hatfutsot Comite International de la Croix Rouge YIVO Institute for Jewish Research, cortesia de Ernest G. Heppner Yair Hendl
páginas 187-196: cortesia de Lily Lash e da família de Willi Karpel
página 197: © Kathy Kacer

Este livro foi reimpresso, em 1ª edição, em
novembro de 2021, em papel offset 90 g/m²,
com capa em cartão 250 g/m².